Re Encuentro con la esencia

El camino guerrero

Re Encuentro con la esencia

El camino guerrero

Pilar Ocampo

encuentro

EL LIBRO MUERE CUANDO LO FOTOCOPIAN

Amigo lector:

La obra que tiene en sus manos es muy valiosa. Su autor vertió en ella conocimientos, experiencia y años de trabajo. El editor ha procurado una presentación digna de su contenido y pone su empeño y recursos para difundirla ampliamente, por medio de su red de comercialización.

Cuando usted fotocopia este libro o adquiere una copia "pirata" o fotocopia ilegal del mismo, el autor y editor no perciben lo que les permite recuperar la inversión que han realizado.

La reproducción no autorizada de obras protegidas por el derecho de autor desalienta la creatividad y limita la difusión de la cultura, además de ser un delito.

Si usted necesita un ejemplar del libro y no le es posible conseguirlo, escríbanos o llámenos. Lo atenderemos con gusto.

EDITORIAL PAX MÉXICO

Título de la obra: *Reencuentro con la esencia*

ENCUENTRO es una colección de libros sobre temas que abren las puertas a la conciencia.

COORDINACIÓN EDITORIAL: Matilde Schoenfeld
CUIDADO DE EDICIÓN: Sagrario Nava
PORTADA: Víctor M. Santos Gally basada en un diseño de Mario Albarracín
DIAGRAMACIÓN: Ediámac

Av. Cuauhtémoc 1430
Col. Santa Cruz Atoyac
México DF 03310
Tel. 5605 7677
Fax 5605 7600
www.editorialpax.com

Primera edición en esta editorial
ISBN 978-607-7723-31-8

Impreso en México / *Printed in Mexico*

El verdadero guerrero no es aquel que vence a los demás
sino el que se vence a sí mismo
para renacer más auténtico y
cumplir así con su papel en la historia.
Ésta es una batalla de amor
que dura toda la vida.

Para Franco, mi pequeño gran maestro.

Índice

Ofrecimiento xi
Agradecimientos xiii
Introducción xvii

1. Ego y esencia 1
   a. Definición de ego 1
   b. Manifestaciones del ego 4
   c. Esquema esencia-ego 9
   d. E-G-O 16
   e. Relación ego-miedo 25
      ¿Miedo a qué? 27
   f. La esencia 34

2. El pentagrama humano 39
   a. Área física 39
   b. Área espiritual 41
   c. Área afectiva 44
   d. Área social 46
   e. Área mental 47
   f. Dinámica: explorando tus áreas 48
      Área física 48
      Área espiritual 48
      Área afectiva 49
      Área social 49
      Área mental 49

3. Conciencia y responsabilidad 53
   Tipos de conciencia y niveles de responsabilidad 53
      a. Conciencia de unidad 54
      b. Conciencia de contacto 56
      c. Conciencia de trascendencia 58

d. Responsabilidad de relación 60
e. Responsabilidad de acción 63

4. El personaje 65
a. Separación o pérdida de sentido 66
b. Promiscuidad 67
c. Aislamiento 69
d. Seducción y control 70
e. Impulsividad 71

5. El autoengaño: un camino pantanoso 73
1. Los fantasmas del pasado 76
a. Fijación: El síndrome de Penélope 76
b. Modificación del recuerdo 78
2. Las fantasías del futuro 83
a. Anhelos vs. Metas 84
3. La interpretación del presente 92
a. Percepción vs. Deformación 92

6. Engrandeciendo nuestro ser humano 97
1. Agradecimiento 97
2. Servicio 101

7. El camino guerrero:
reencuentro con la esencia 103
El enemigo a vencer: el ego 105
El camino a seguir: la conciencia 105
La herramienta para caminar: la humildad 106
La estrategia: la voluntad 106
La meta: el servicio 110

De dónde vengo 113
Bibliografía 121

Ofrecimiento

Más que dedicar, ofrezco este trabajo primeramente al Gran Espíritu del cual formo parte y el cual me recuerda a cada momento y a cada paso que no estoy sola y me ayuda a darme cuenta del poder de las palabras para ser cada vez más responsable de ellas en mi hacer cotidiano.

Ofrezco este trabajo al gran espíritu guerrero de mi padre, que desde su propio universo sigue presente acompañándome, llenándome de luz, de claridad y de fuerza.

Ofrezco este trabajo a todos aquellos seres de luz que se encuentran perdidos en la oscuridad de sus síntomas, de sus tristezas o de sus soledades, para que de la manera imperceptible que tiene la energía amorosa de actuar los envuelva recordándoles que siempre hay alguien escuchando y viendo, más allá de unos ojos o de unos oídos.

Ofrezco este trabajo a cada uno de los guerreros de luz que se encuentran en otra dimensión y que se siguen manifestando a través del fuego, del agua, del viento y de nuestra Madre Tierra, haciéndonos llegar su sabiduría y ayudándonos a los que estamos enfrentando las batallas en este aquí y ahora a cumplir con nuestra misión.

Ofrezco humildemente estas líneas a la energía del universo para que a través de ellas se den los cambios que tengan que darse y que los que están listos para recibir el mensaje lo reciban en sus corazones más allá de mis palabras y de mis limitaciones humanas.

Que así sea. Ometéotl.

Chalchiuhocelotl
(Jaguar de Jade)

[illegible]

Más que [illegible] que [illegible]

[illegible]

a cada uno [illegible] y que [illegible] del [illegible]

de las [illegible]

[illegible]

Ofrezco este trabajo [illegible] que [illegible]

[illegible] de [illegible] y de fuerza.

Ofrezco este trabajo a todos aquellos [illegible] en la [illegible] de sus [illegible] que [illegible] la energía [illegible]

[illegible]

Ofrezco este trabajo a cada uno de los [illegible] que [illegible]

[illegible] del [illegible]

[illegible]

[illegible]

[illegible] que [illegible]

[illegible]

¡[illegible]!

[illegible]

[illegible] de [illegible]

Agradecimientos

¿Por dónde empezar? Es tan difícil que una lista no hable de prioridades y es tan difícil no agradecer que, finalmente y corriendo el riesgo de herir susceptibilidades, plasmo sin más miramientos lo que hay en mi corazón.

Quiero agradecer primeramente a la tierra de la cual provengo: a mi Oaxaca mágico y a mi México amado, que conforman mi sangre, mi cuerpo, mi aliento y mi espíritu. Agradezco a esta tierra por permitirme ser heredera de una tradición de amor y por elegirme en esta vida como humilde portadora de su conocimiento.

Agradezco a cada uno de mi familia de sangre y de espíritu por aparecer en los momentos de batallas fuertes para recordarme que, desde diferentes trincheras, cada uno está librando la parte que le corresponde de la misma batalla; por compartir un trecho de camino y luego separarnos para no interferir en el camino del otro, ayudándonos a crecer acompañados aun sin estar juntos.

Gracias a mi maestra más humilde y diminuta, aquella pequeña hormiguita que apareció frente a mis ojos en aquel momento de lucha contra mi propio ego, para recordarme amorosamente que el mundo sin mí sigue en un equilibrio perfecto. Ella me liberó para siempre del sentimiento de ser necesaria y lo cambió por la conciencia de ser útil, dándole con ello un nuevo sentido a mi vida.

A cada uno de mis amados Maestros, con un profundo agradecimiento por abrirme las puertas de su corazón al mismo tiempo que me abrieron las puertas del conocimiento. Que el Gran Espíritu los bendiga siempre, dondequiera que se encuentren.

A Ale y a Sol por la luz de su sonrisa, por el amor de sus ojos y por recordarme que "entre el cielo y la tierra siempre hay un lugar para volver a casa".

A cada uno de mis pacientes, alumnos, amigos, amores y desamores, por ayudarme con su presencia a ser lo que soy ahora y por formar parte de esta maravillosa aventura que ha sido mi vida.

A Simone, gran guerrero, por abrir su corazón no sólo a mis palabras sino a la magia, por la pureza de su corazón y la fuerza de su espíritu y por enseñarme que luchar con todo por lo que se ama es una prueba de amor más que de necedad.

A Pancho, mi querido y siempre cómplice de vida, por su picardía, las risas, las confidencias, su respeto, y por proponerme este proyecto, ayudándome a concretarlo en una realidad.

A Adriana, Laura y Lucy por enseñarme que la hermandad es una opción del corazón más que una circunstancia de consanguinidad; a Miguel por la pureza y humildad de su ser que me ha acompañado de manera silente e incondicional todos estos años; a Juan Carlos por enseñarme que nunca es tarde para llenar un sobre vacío; a Gerardo por confiar en este sueño y llevarlo a otro nivel y muy especialmente a mi Franco por enseñarme con su presencia en mi vida que el sacrificio voluntario y consciente es una manera cotidiana de desarrollar la capacidad de Amar y ayudarme a ser mejor ser humano cada día para cumplir con el papel de madre que me corresponde a su lado. Gracias a la Divinidad por tan amorosos compañeros de camino.

A mis jaguares, mis águilas, mis índigos y mis cristales que aún se encuentran atrapados por su personaje y que desde ahí siguen luchando por cumplir con su misión de vida.

A ti, lector, que con tus ojos haces posible que las palabras cobren vida y que mi corazón pueda hablarle al tuyo más allá de la distancia. Gracias por permitirme cumplir con esta parte de mi misión de vida.

Y, sobre todo, gracias a la magia por existir más allá de nuestras limitaciones y comprensiones humanas y por recordarnos a cada momento que el camino guerrero no es otra cosa más que el reencuentro con nuestra esencia.

Que la Luz te acompañe e ilumine tu camino
para que puedas iluminar el camino de los demás.

Introducción

Hablar de ego es, sin duda, una batalla interminable. Es conectarnos con nuestro aspecto más humano como punto de partida para emprender el viaje hacia el más divino, porque es únicamente desde nuestra humanidad que podemos tocar lo sagrado.

No es un camino fácil; en ocasiones ni siquiera parece accesible. Podemos tener la ilusión de estar perfectamente claros de quiénes somos, lo que queremos y cuál es nuestra misión en esta tierra y vivir en el autoengaño más grande. La línea que divide el autoconocimiento del rol es, en momentos, prácticamente invisible, porque no hemos aprendido a VER: simplemente vemos.

No podemos caminar en una dirección con un sentido claro si primero no nos dejamos de engañar sobre hacia dónde queremos, debemos o tenemos que ir. Uno de los puntos de trabajo más importantes dentro del proyecto de autoactualización permanente que vivimos todos como seres humanos, conscientes o no, es el ego. Lo hemos escuchado, leído, tocado, pero el ego es un maestro, un artista que se disfraza de muchas maneras; un maravilloso camaleón que trata de camuflarse para sobrevivir; es decir, para tener el control de nuestra vida.

Todos nacemos para cumplir un guión predestinado. El que fue un hijo deseado tiene ya un rol antes de nacer, porque se convierte en recipiente de una serie de expectativas. El que no se esperaba, y aun así es bienvenido, viene a recibir una herencia de ideas y conceptos familiares. Y aquel que no ha sido deseado, sin duda su presencia ya es, en sí misma, un conflicto con el que cargará toda su vida. Cada uno, desde ese momento, desarrollará un personaje que se irá conformando a lo largo de los años, puliendo y acicalando hasta convertirse en una entidad aparte que, la mayoría de las veces, desafortunadamente, es quien rige la vida y la toma de decisiones. Éste es el origen de tanto vacío, confusión y soledad.

Este libro es la propuesta de un camino que he venido conformando a través de mucho tiempo. Es también el resumen de un trabajo personal basado en el dolor del autoengaño, en la impotencia ante lo inevitable y en la convivencia cotidiana con mi propio personaje. Pilar Ocampo me ha enseñado mucho como personaje y ahora es el momento de compartir estos aprendizajes. Un querido amigo, padre y excelente psicoterapeuta, al escribir sobre niños me dijo alguna vez: "No hay mejor maestro que un niño. Si quieres escribir algo sobre ellos, sólo obsérvalos y traduce lo que ves en palabras. Lo que he escrito yo es lo que mis hijos me han enseñado". Ese mismo consejo lo llevé a mi ego... Observándolo y observándome, sigo aprendiendo cada día sobre este maravilloso regalo que es la vida y, desde mi experiencia, lo comparto contigo.

Que lo disfrutes.

1

Ego y esencia

Los conceptos siempre son un buen punto de partida, ya que le permiten a nuestra parte racional entretenerse un rato y así sentirse aliviada si lo que escucha tiene sentido para ella, permitiendo con eso que nuestra parte intuitiva tenga menos obstáculos para recibir el verdadero mensaje. Así es que empecemos por ahí.

a. Definición de ego

El ego es la parte nuestra que nos lleva a vivir un rol en función de expectativas y fantasías, generando una ilusión de control.

La ilusión se refiere a que, a través de desarrollar ciertas actitudes y conductas, vamos a mantener el control del entorno, incluyendo a los demás, por supuesto. El ego nos cuenta la historia de que las cosas, los eventos, las relaciones y las personas pueden ser controlados. Desgraciadamente, en el momento en que nos damos cuenta de que esto no es así, en vez de trabajar en la aceptación, el desapego y la humildad, nos aferramos a tratar de encontrar otros medios para restablecer el control que hemos perdido. La impotencia, la desilusión y la frustración son compañeras permanentes del ego y, tarde o temprano, hacen su aparición cuando menos lo esperamos. La aparición puede darse de manera abierta, es decir, que cada uno de estos estados se manifieste por sí mismo o bien pueden presentarse de manera enmascarada en nuestra vida en forma de síntomas, que si bien al inicio nos llevarán a buscar causas físicas que expliquen su presencia, tarde o temprano nos llevarán al punto de regreso hacia nosotros mismos si es que tenemos suficiente sensibilidad para escucharlos. En muchas ocasiones estos síntomas son, en sí mismos, mecanismos de manipulación del ego en un intento desesperado por controlar algo o a alguien, desafortunadamente es real que generan dolor en la persona y que es ella quien a largo plazo pagará los precios de tan sutil y elaborado mecanismo.

La impotencia surge ante la imposibilidad de cambiar algo que pensábamos estaba controlado o que habíamos previsto de diferente manera. La imposibilidad de modificar el evento nos lleva a tocar una impotencia que será proporcional al nivel de control y de rigidez que tengamos en nuestra personalidad y que haya desarrollado el personaje. Podemos ver la impotencia en su manifestación más clara, abierta y honesta en los niños pequeños cuando tratan de hacer algo y no lo pueden llevar a cabo porque aún no cuentan con las habilidades propias para ello, ésta es una impotencia genuina y no tiene nada que ver con el estado generado por las historias de control que nos cuenta el ego siendo jóvenes o adultos. La diferencia es muy clara, la impotencia genuina surge cuando no podemos realizar algo realizable mientras que la impotencia neurótica se da cuando no podemos llevar a cabo aquello que en nuestra mente ya habíamos realizado sin tomar en cuenta las variables sobre las que no ejercemos control alguno; la gran mayoría de veces éste es el tipo de impotencia que tocamos siendo adultos.

La desilusión aparece en el momento en que nos damos cuenta de que las cosas no son como nos habían contado; que el cuento no es tan hermoso y que los sapos no se convierten en príncipes al besarlos, sino que siguen siendo los mismos sapos, quizá un poco más felices. La desilusión surge cuando se rompe la fantasía y entramos en contacto con la realidad, que no necesariamente es terrible. Ese sentimiento de desilusión nos puede llegar a impedir ver lo bello de la realidad en sí misma, por estar viviendo el duelo de una fantasía que nunca existió más que en nuestra mente. ¿En dónde más? Aquí me parece importante mencionar la diferencia entre imaginación y fantasía porque con frecuencia se manejan como sinónimos y no lo son; la imaginación es un recurso creativo de nuestra mente para ayudarnos en la resolución de problemas o en el manejo de situaciones que implican algún tipo de reto, es un recurso valiosísimo para enfrentar la vida y es parte de vital de la creatividad humana. La fantasía es no sólo darle vida a aquello que imaginamos sino vivir en ella; un ejemplo concreto sería que Walt Disney creyera verdaderamente que Mickey Mouse iba a llegar a comer a su casa y le sirviera un plato de sopa y al ver que no llegó y que su sopa se quedó servida experimentara una profunda desilusión al sentirse poco importante, rechazado o ignorado. ¿Suena absurdo? Más absurdo es darnos cuenta cuántas veces en nuestra vida nuestras desilusiones o duelos vienen de una fantasía prácticamente infantil, cuántas lágrimas se hubieran podido evitar y cuántas demandas o exigencias a otros no tendrían razón de ser. ¿Le reclamarías a Mickey Mouse que dejó tu sopa servida? ¿Y qué te hace pensar que esperar que tu pareja sea la pareja ideal, de acuerdo con tu imaginación, y reclamarle que no lo sea sea una situación diferente? El hecho de que en tu mente, tu imaginación haya creado un esquema de la pareja ideal debido a las carencias o necesidades de tu vida y que hayas encontrado a alguien que se parece un poco no significa que esa persona imaginaria sea real ¿por qué entonces habría de desilusionarte el comprobar que no existe? Simplemente porque tu ego te contó esa historia y tú lo creiste, así de sencillo.

Lamentablemente, desperdiciamos un altísimo porcentaje de nuestra vida en la búsqueda de la olla de oro al final del arco iris. Por añorar lo que nunca hemos tenido, dejamos de ver las gotas de lluvia en nuestra ventana o de disfrutar el olor a tierra mojada. Nuestro ego insiste en contarnos una historia diferente y nosotros nos convencemos de que la fantasía es real, simplemente hay que buscar otra manera de llegar a ella. Y así vivimos.

La frustración, entonces, es producto de la ruptura de estas fantasías; de la incapacidad de materializarlas tal y como las soñamos, generando en nosotros una sensación de fracaso e insuficiencia, pues si el ego nos sigue contando la historia de que son posibles de alcanzar y no lo logramos, lo lógico es pensar que estamos haciendo algo mal y entonces nos enojamos con nosotros mismos por no poder alcanzar lo que queremos, sin darnos cuenta de que no hay manera posible de materializar algo que no existe. Mientras más control quiera ejercer el ego, mayor frustración experimentaremos, y eso nos llevará a mayor terquedad y rigidez, iniciándose así un círculo vicioso que dañará la autoestima y destruirá las relaciones.

El ego se manifiesta de muy diversas maneras y puede llegar a ser bastante difícil de detectar, ya que las formas pueden estar combinadas y cambiar de una situación a otra. Vamos a revisar las más comunes.

b. Manifestaciones del ego

1. Importancia personal (narcisismo)
2. Ilusión de perfección
3. Culto al error
4. Modestia *vs.* humildad
5. Separación (soledad)

1. Importancia personal. Esta forma de ego es una de las más conocidas, ya que incluye el narcisismo, término común para todos. A través de esta forma, el ego nos cuenta la historia de que somos indispensables y que sin nosotros las cosas no pueden ser llevadas a cabo adecuadamente. El narcisismo, sin entrar en terrenos de la psicopatología, se refiere a girar alrededor de esta importancia personal, convirtiendo al personaje en el centro de la percepción que se tiene del mundo. Todas las personas venimos a este mundo con algún don, algo que sobresale de los demás, llámese inteligencia, belleza física, simpatía, capacidad de sociabilizar, facilidad artística, deportiva, etcétera. Esa o esas cualidades se nos han dado para algo, tienen un fin en nuestra vida y no simplemente para sentirnos mejores que los demás; cuando nos damos cuenta de ello y somos conscientes que fue algo que se nos dio, ni siquiera nosotros lo elegimos conscientemente nos volvemos más humildes, agradecidos y podemos desarrollar compasión por aquellos que no las tienen. Sentirse más o mejor que los demás menospreciándolos en cualquier sentido es simple y sencillamente una manifestación abierta del ego y una muestra de lo limitado del nivel de conciencia de la persona que lo hace. Aquél que es bello físicamente y hace gala de ello haciendo notar constantemente lo menos agraciado de los otros, así como aquél que ha sido dotado con una inteligencia privilegiada y se dedica a hacer notar lo limitadas de las demás personas, no son más que ejemplos de que por más privilegiada que sea una persona en una o en varias áreas no significa que tenga un nivel de conciencia elevado; a mayor conciencia, mayor compasión y respeto no sólo a las diferencias sino a aquellas personas limitadas. Así que la próxima vez que te encuentres en tu vida con una persona prepotente o déspota, date cuenta de que esa actitud habla de sus carencias, no de la tuyas y si tienes la suficiente autocrítica para reconocer tus propias posturas narcisistas, es hora de empezar a trabajar en la compasión y en la humildad para que puedas realmente llevar a cabo la misión para la cual se te han dado esos dones.

2. Ilusión de perfección. Esta manifestación del ego nos lleva a pensar que todas las cosas que hacemos o ejecutamos tienen que salir perfectas. La consecuencia inevitable de esta búsqueda de perfección es la rigidez, sinónimo de neurosis. El considerarnos a nosotros mismos casi perfectos o perfectos en ocasiones, nos lleva a la ilusión de pensar que somos capaces de hacer cosas perfectas o de exigir la perfección en los demás, cuando esto es algo imposible, ya que en realidad cualquier ejecución del ser humano es perfectible, mas no perfecta. La perfección no forma parte de la realidad humana. La perfectibilidad, por el contrario, es la elección de cualquier ser humano que quiera ser cada vez mejor y desempeñarse con más eficacia en cualquier ámbito de su vida. El ser conscientes de la ilusión de perfección y empezar a trabajar en ella nos lleva a desarrollar más tolerancia y paciencia con nosotros mismos y con los demás y curiosamente a incrementar nuestro desempeño; es decir, paradójicamente nos volvemos más eficientes cuando dejamos de presionarnos para ser perfectos; así de complicados somos los seres humanos.

3. Culto al error. Se refiere a buscar siempre "el negrito en el arroz"; es el "Sí, pero...". El culto al error se da en aquellos individuos que proyectan en los demás su propio sentimiento de insuficiencia, por lo que aparentemente nada de lo que hagan los demás será lo suficientemente bueno para ellos. Cualquier juicio que nosotros hacemos proviene del ego; la esencia no juzga, sólo percibe. Desde el ego siempre habrá una evaluación de bueno o malo; desde la esencia, las cosas simplemente serán como son, sin poner ningún calificativo. El culto al error es una de las actitudes que más nos alejan del disfrute cotidiano pues la mente está centrada en la búsqueda de la imperfección más que en la búsqueda de la felicidad o del bienestar y esto es muy triste pues no importa cuántas cosas lindas se reciban o estén al alcance de la mano, esta actitud le impedirá a la persona disfrutarlas por pensar en lo mejor que pudieron haber estado;

está por demás decir lo difícil que es relacionarse con personas así por lo que tarde o temprano se quedarán solas atrapadas en su mundo de perfección y aún así seguirán creyendo que ellos tienen la razón y que el mundo sería mejor si todos hicieran las cosas como deberían de ser; sin darse cuenta de que un mundo así es, una vez más, una fantasía infantil que únicamente les traerá frustración y más distancia de las demás personas. Otra historia contada por el ego.

4. Modestia *vs.* humildad. Ésta es, sin duda, una versión más sofisticada del ego. Se nos enseña a ser modestos, pero no a ser humildes. Si alguien nos dice un piropo o reconoce algo lindo, estamos entrenados para decir: "Gracias, pero no es para tanto". Ésta es una falsa modestia que no tiene nada que ver con la humildad. La humildad tiene que ver con el reconocimiento de las habilidades propias y ser consciente de que no se tienen gratis, sino que necesitan un trabajo y un desarrollo.

Si yo sé que tengo facilidad de palabra, ¿esto es un regalo o un compromiso? Si lo veo como un regalo, no lo aprecio igual y simplemente me envanezco de él. Si lo veo como un compromiso y reconozco que tengo el poder de la palabra para cumplir una misión, entonces la cosa cambia porque empiezo a utilizar este don de una manera que me ayude a hacer algo que no sea nada más que para beneficio personal.

Una persona humilde no es aquella que "se tira para que la levanten". Es aquella que tiene la capacidad de reconocer su valía, pero también tiene la capacidad de darse cuenta de que eso no la hace mejor que nadie, no la convierte en mejor persona, simplemente la hace diferente. El modesto no; él tiene una sensación de engrandecimiento por dentro. Pero, como decimos en México, ése sí "se tira pa' que lo levanten". Es decir, actúa la modestia más por el reconocimiento externo que por una actitud interna honesta.

La humildad más que una cualidad es una actitud de vida que nos habla del nivel de consciencia de la persona, como lo mencionaba anteriormente cuando hablábamos de la importancia personal. El ser humildes nos permite ser capaces de dar un servicio y cumplir con nuestra verdadera misión de vida; nos permite conectarnos con la fuente de donde todos venimos y ser canales para que se den las cosas. Cuando nos conectamos con nuestra humildad dejamos de pelear con la vida y abrimos los brazos de nuestro ser entero para que se de lo que tenga que darse intentando dar lo mejor de nosotros en cada momento, sin intentar ser perfectos, simplemente siendo y haciendo.

5. Separación. Normalmente el ego nos cobra la factura de su reinado. El precio es esta sensación de separación que genera un estado de aislamiento y nos hace sentir que no somos parte de una totalidad, sino que estamos fragmentados, alienados. Es muy importante darnos cuenta de que una de las enfermedades de este siglo es la soledad, entendiéndola como esta separación de la totalidad. La gente se siente sola aunque no esté viviendo sola. Esto no es otra cosa más que el precio que nos cobra el ego por estar llevando el control de nuestra vida. Mientras el ego esté al frente, nos impedirá establecer un contacto real y profundo que nos nutra. Entonces, para amortiguar la "anemia emocional", se buscan sustitutos que si bien nos permiten continuar, jamás serán suficientes, porque no son lo que realmente necesitamos. De aquí provienen las conductas adictivas, compulsivas y las relaciones dependientes y tóxicas, un clásico y triste panorama de nuestro tiempo.

Lo que hemos visto son manifestaciones de nuestro ego y nos ayudan a asomarnos un poco al panorama que ofrece una vida regida por él. Si eso es todo lo que conocemos y, obviamente, lo más común en estos tiempos, ¿qué hacer para modificarlo?, ¿por dónde empezar?

Lo principal es entender la relación entre la esencia y el personaje, es decir, entre el self y el ego, para lo cual resulta muy útil el siguiente esquema.

c. Esquema esencia-ego

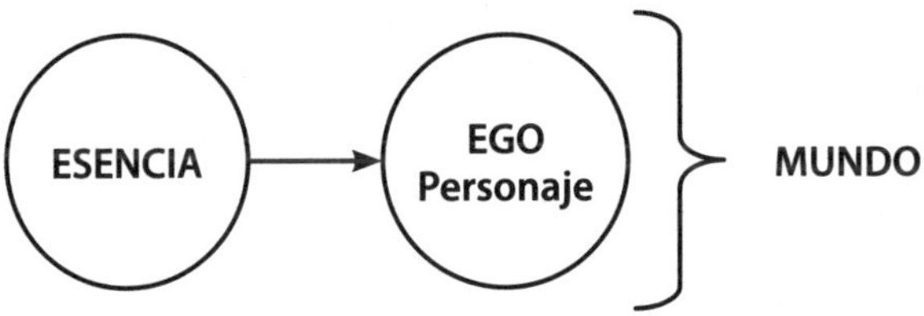

El primer círculo es nuestra esencia, la conciencia pura. Cuando dejamos de ser una partícula en el universo, tomamos una manifestación humana y entramos en el cuerpo que nos acompañará hasta el fin de nuestro camino en este mundo. Nos convertimos en humanos sin perder la esencia divina. Cuando digo "esencia divina", no hablo de ninguna religión, sino desde el punto de vista espiritual, de esa esencia que nos conecta con el Todo y que nos recuerda que somos parte de un universo que a su vez es parte nuestra.

Llegamos a este mundo utilizando como vehículo de manifestación nuestro cuerpo. Entonces nacemos en una familia, se nos asigna un nombre, un apellido y ocupamos un lugar. Somos el primogénito, el segundo, el tercero o el último. Entramos a una escuela, a un ambiente y empezamos a jugar roles: comienza a desarrollarse **el ego**. Se empieza a construir un personaje, lo cual no es malo ni bueno, simplemente así es. Me importa aclararlo, porque se ha satanizado mucho la palabra "ego" y se ha vuelto sinónimo de narcisismo. Esto no necesariamente es así, pues no podríamos vivir en este mundo, manifestarnos en él y tener presencia si no tuviéramos ego.

Si fuéramos esencia pura, seríamos etéreos. Para tener una presencia en este mundo, debemos tener un nombre, una voz, una estructura que nos conforme (reglas, conceptos, normas, valores, etcétera). Es inevitable formar parte de una comunidad y crecer bajo sus normas. Cuando las circunstancias de nuestra vida provocan que la separación entre estas dos instancias se vaya haciendo más grande, encontraremos que a mayor separación, mayor neurosis, más soledad, más vacío.

Imaginemos que ambas esferas están unidas por un cordel elástico irrompible que las mantendrá unidas permanentemente. El proceso de separación se daría de la siguiente manera:

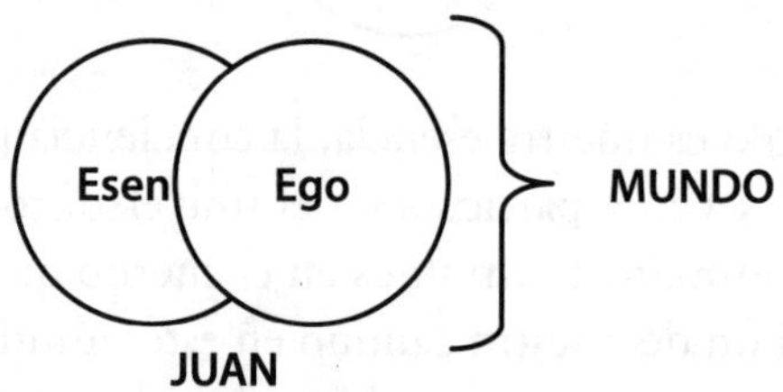

Juan nace en una familia que le hace desarrollar ciertas características. Si la esencia permanece atrás del ego, lo que el ego va a hacer, lo que el personaje va a vivir, será congruente con lo que hay en su interior. Los niños, antes de ser condicionados, son espontáneos y congruentes con su ser y con su hacer, pues su esencia interactúa con su ego. A medida que a Juan se le programe para alejarse de sus sentimientos o acallar sus necesidades, ambos círculos se irán distanciando:

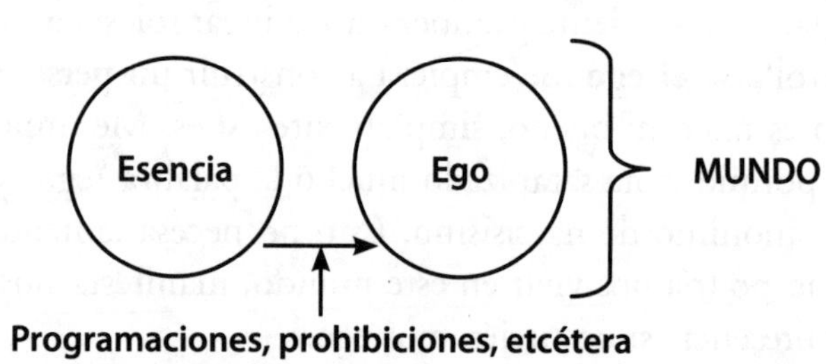

Cuando nuestra esencia nos dice que no a algo que nuestro rol nos obliga, se va a dar la confusión, y si la presión externa es demasiado fuerte, puede llegar a producirse un bloqueo en el contacto en el afán de acallar las necesidades. Aclaro que, en la mayoría de los casos, éste es un proceso totalmente inconsciente que puede llevar inclusive a la somatización como un medio para establecer contacto con nuestras necesidades internas. De ahí que en muchas ocasiones sea a través de los síntomas que se logra llegar a la necesidad existencial.

Juan sigue creciendo y renuncia a diferentes cosas en un afán de ser aceptado, querido y reconocido por su entorno. Se vuelve una pieza importante dentro de su comunidad y entorno, logra muchas de las metas que le fueron impuestas o heredadas, tiene un buen trabajo, un lugar donde vivir, una familia, y eventualmente se da pequeños lujos. No podría pedir nada más. Sin embargo, no es feliz. Inclusive llega a tocar momentos de vacío y soledad que no logra explicarse, porque ha luchado toda su vida por lograr aquello que le aseguraron era el camino correcto para la felicidad. Siguió la "fórmula mágica". ¿Dónde se equivocó?

Juan no se ha equivocado. Simplemente no se le enseñó que había que escuchar más adentro que afuera y cayó en lo que Miguel Ruiz, autor de *Los Cuatro Acuerdos,* llama "domesticación social". Ahora su esquema es parecido a éste:

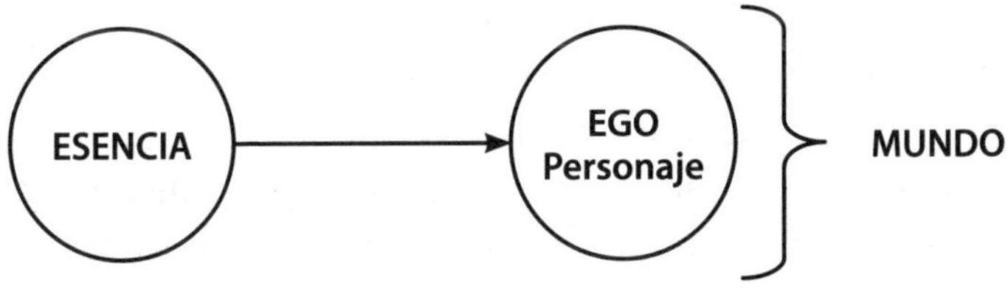

Como podemos ver, la distancia entre su esencia y su ego (personaje) es mayor. El ego queda al frente del mundo, vale decir, lo que Juan enseña al mundo es su personaje, no su verdadera esencia. A veces ésta se manifiesta por momentos en su vida, generándole quizá culpa o arrepentimiento y, sin embargo, una gran satisfacción interna, lo que le genera más confusión.

Puede llegar un momento de la vida en que las circunstancias nos confronten con nosotros mismos, con nuestras incongruencias y autoengaños. Entonces entramos en las llamadas "crisis existenciales", porque no sabemos cómo acomodar lo que estamos viviendo: los "cajones" en los que usualmente cabía todo, ahora son insuficientes.

Estas crisis normalmente sobrevienen después de una confrontación fuerte con nuestro momento de vida, en la cual se ponen de manifiesto nuestras necesidades internas y los mecanismos a través de los cuales hemos evitado atenderlas. El velo del autoengaño se abre y entonces vemos una realidad cruda y dolorosa que nos asusta y confunde. Las crisis pueden surgir de muy diversas maneras y a lo largo de diferentes etapas de la vida. Pueden surgir por una circunstancia inevitable, como la pérdida de un ser querido, de un estilo de vida seguro, o el encuentro con alguien que cambiará nuestra vida para siempre. Existen eventos de destino que son situaciones que cada uno de nosotros tarde o temprano tendremos que enfrentar dado que son vitales para la evolución de nuestro ser; podemos retrasarlos consciente o inconscientemente pero tarde o temprano llegaremos a ellos. Esto no significa que nuestra vida esté trazada de antemano o que estemos sujetos a un destino que no podamos cambiar, recordemos que somos libres por naturaleza es simple y sencillamente que todos estamos en un proceso continuo de evolución y nuestro espíritu ha seleccionado previamente aquellos eventos que nos permitirán un avance significativo en dicho proceso, el cómo reaccionemos ante ellos, los aprovechemos o no es parte de nuestro libre albedrío y nadie más que nosotros puede tomar la decisión. El destino cumple con lo pactado, sean encuentros, eventos aparentemente circunstanciales, enfermedades, etcétera. Lo que hagamos con ellos depende total y absolutamente de nuestro nivel de conciencia y de nosotros depende si los convertimos en peldaños para avanzar o en obstáculos que nos atoren. Los eventos no son buenos ni malos, solo son. Lo que hagamos con ellos y de ellos es lo que agrega el calificativo. ¿Cómo identificar estos eventos de destino? Ese ya es otro tema que abordaremos en algún momento.

La esencia no cambia, simplemente es. La energía es. La Divinidad es; no tiene que desarrollarse, porque si tuviera que hacerlo, no sería Divinidad. Si la energía tuviera que mejorar, entonces indicaría que está incompleta. La parte que nos mantiene en contacto con el Todo está ahí, ES, y es perfecta en sí misma. Siempre ha estado presente y se ha manifestado en nuestra vida de muy diversas formas: como corazonada, intuición, un sueño revelador o simplemente una idea que surge "de la nada" y nos soluciona un problema.

Nuestra esencia jamás se pierde, por más que nos alejemos de ella; siempre está ahí. Y cada momento es una oportunidad para regresar a casa. Cada crisis es una oportunidad para regresar a casa porque el universo entero nos permite ver lo que realmente necesitamos y quiénes somos verdaderamente, más allá de nuestro personaje, de las expectativas que han depositado en nosotros o de los guiones que hemos seguido. Entonces surge la necesidad de un cambio de vida y viene un reto más: el miedo a enfrentar lo desconocido, porque lo conocido, si bien no nos hace necesariamente felices, nos da seguridad, que en algunos casos se llega a confundir tristemente con la felicidad. La comodidad es una gran prisión en la que con frecuencia caemos los seres humanos actualmente porque nuestro instinto de caza se ha ido adormeciendo notoriamente; las comodidades que nos rodean como abrir una llave y tener agua potable y fresca, encender la luz tan solo tocando el interruptor, estar comunicados en casi cualquier parte del mundo, tener despertadores, alarmas para todo ha hecho que ese instinto que usualmente mantenía al ser humano en alerta se vaya debilitando poco a poco; emocionalmente ha pasado lo mismo; pareciera que paradójicamente la mayoría de las personas están en la búsqueda de la verdad aunque esta búsqueda aparente los aleje cada más de ellos mismos; no es coincidencia la proliferación de métodos psicológicos, de creencias religiosas, de partidos políticos, de enfoques educativos, de posturas médicas contradictorias, tantas opciones generan indudablemente confusión y la confusión es el estado ideal para ser manipulado. Cuando mi hijo nació tomé la decisión de no tener más programación televisiva en casa, aunque no fue del agrado de mi esposo aceptó y ahora unos años después sigo aplaudiendo la decisión y no porque la televisión sea mala sino porque roba mucho espacio de contacto; con tristeza veo a niños que están "pegados" a ella a muy corta edad y que viven literalmente las aventuras a través de los personajes de los programas, yo prefiero que mi hijo las viva en la vida real aunque haya veces que por falta de tiempo o cansancio realmente quisiera que estuviera pegado a ella aunque sea por un rato y ahí entra el reto de luchar contra la comodidad en un ejemplo muy cotidiano, sí es más fácil prender la televisión y que el niño no se mueva de ahí pero, ¿es eso lo que mi hijo merece? ¿es eso lo que quiero para él? Entonces toca en un acto de conciencia hacer un esfuerzo extra para interactuar con él valorando la oportunidad que me da el día de hoy y que no sé si la tendré mañana, con todo y el cansancio o el aburrimiento ocasional.

Algo similar ocurre en las relaciones interpersonales, entre una pareja, en el trabajo, con amistades o compañeros; en ocasiones nos quedamos en un relación sólo por la comodidad que implica y nos conformamos con el "más vale malo conocido que bueno por conocer". ¿Realmente crees en eso? ¡Eso no es más que miedo! Y entonces recurrimos a la comodidad, a buscar "el lado amable" de la situación y a convencernos-forzarnos para seguir ahí, aun a pesar de que nuestra esencia sabe que necesita algo más. El personaje se autoconvence para no salir de su zona de confort por no perder su seguridad y su comodidad.

La simple idea de iniciar un nuevo camino puede resultar aterradora para algunas personas o excitante para otras. El nivel de angustia o miedo dependerá de la rigidez del individuo: a mayor rigidez, mayor sensación de amenaza; y cualquier posibilidad de cambio de vida puede resultar aterradora, sobre todo si atenta contra las normas básicas del personaje.

Sin embargo –como repito frecuentemente en mis cursos y seminarios– después de darse cuenta, nada es igual. La persona puede elegir seguir viviendo de la misma manera, sabiendo que está siendo incongruente con sus necesidades internas, y sacrificará su felicidad en aras de su seguridad, lo que en algún momento le hará sentirse vacía, opaca y viviendo una vida cómoda y gris. Ése es el precio de la autotraición.

La persona que opta por correr el riesgo de regresar a casa y enfrentar las consecuencias del rechazo, del juicio externo o de la pérdida de los afectos condicionados, sin duda sentirá dolor. Mas será un dolor con sentido, porque está haciendo la inversión necesaria para su felicidad. Dejar de lado la comodidad por la felicidad puede ser muy doloroso; sin embargo, será profundamente satisfactorio y gratificante y el dolor pasará a convertirse en fortaleza y fuerza interna.

Esto es el regreso a casa: que aquel personaje, en vez de seguir caminando, tratando de dar gusto a los demás, intentando encontrar las respuestas afuera, voltee hacia sí mismo y regrese al contacto con su esencia. No podemos hacer esto si no rescatamos el contacto con la espiritualidad, porque así como somos parte humana, somos parte divina. La espiritualidad es, pues, la puerta del regreso a casa, porque nos permite contactarnos con nosotros mismos a traves el contacto con el universo entero, sin importar credo o religión.

La espiritualidad indígena mexicana nos abre la posibilidad de un camino de amor mediante la naturaleza y del contacto con los elementos, entendiendo que cada parte del universo es la manifestación pura de la esencia divina; nos ayuda a ver que no hay diferencia entre una planta, un animal o un ser humano, y que tanto la tierra como el agua, el sol o cualquier otro elemento de la naturaleza merecen el mismo respeto, cuidado y devoción, porque sin ellos no sería posible la vida. Nos enseña a venerar a los abuelos –desde un árbol milenario hasta un ancianito sin dientes que no sabe leer ni escribir– como portadores de sabiduría y conocimiento y a amar y cuidar a nuestros niños como herederos de una tradición de la que les enseña a ser partícipes. Nos enseña a honrarnos a nosotros mismos y cuidar nuestro cuerpo, nuestros pensamientos, nuestra palabra, nuestros sentimientos y nuestras acciones, considerándolos como un vehículo sagrado de contacto con el mundo. ¿Quién podría traicionarse si se considera sagrado? Esto es lo que nos enseña nuestra tradición: el rescate de lo sagrado para contactarnos más profundamente con lo humano y, en este contacto, tomar conciencia del vínculo irrompible entre lo humano y lo divino, como veremos más adelante en mi propuesta terapéutica.

Para poder trabajar con algo, necesitamos conocerlo y saber cómo actúa y de qué está compuesto. Ya vimos las manifestaciones del ego; ahora vamos a ver cómo se compone:

d. E-G-O

Desde mi perspectiva, **el ego está compuesto** de la siguiente manera (divido las letras para facilitar la comprensión):

E = Expectativas
G = Ganancias
O = Orgullo (soberbia)

Las **expectativas** nos hablan de qué esperan de mí, cómo me tengo que comportar, qué debo decir, cuál es mi rol en la sociedad. Vivir para el qué dirán, todo eso conforma el ego. Es imposible vivir sin expectativas, pero es posible no vivir para ellas. En el momento en que llegamos a este mundo, es inevitable recibir una serie de sueños frustrados de los abuelos, tíos, padres, cuidadores o cualquier persona afectivamente relacionada con nuestro nacimiento; es inevitable escaparnos al "prediseño" de un futuro que la mayoría de los padres modernos tienen.

Los seguros han hecho un excelente uso y abuso de las expectativas, vendiendo programas que cubren los estudios universitarios de un recién nacido, que desde antes de aprender a hablar ya tiene la obligación de terminar una carrera. ¿Cuándo se nos preguntó? Muy pocos tuvimos la fortuna de ser tomados en cuenta en decisiones importantes o de ser lo suficientemente fuertes para sostener nuestras convicciones. La mayoría cumple con las expectativas de una u otra manera. De ahí el resultado de una sociedad consumista y permanentemente insatisfecha.

De la misma manera aprendemos a depositar expectativas en los demás, a hacerlos recipientes de nuestros sueños frustrados o de nuestras necesidades insatisfechas y nos volvemos más intolerantes y demandantes; esperamos que la cosas sean "como deben de ser". ¿Cómo es eso, me pregunto? ¿Quién dictó las normas? ¿Tu abuelo, mi bisabuela, Adán, Eva? Cada familia tiene su código de honor y de acción y es hermoso verlo, pero eso no quiere decir que sea válido para otra familia o inclusive para todos los miembros de la misma familia. A mayor expectativa, mayor tendencia a la frustración, así de simple. El Ego nos cuenta la historia de que si somos de determinada manera, si cumplimos ciertas expectativas obtendremos una recompensa y cuidado, quizá así era en tu familia o con tus padres o cuidadores, pero eso no quiere decir que sea así en el mundo.

Las **ganancias** son todo lo que obtenemos a través de una determinada conducta o actitud. Obviamente, si estoy en una sociedad que promueve el ser amable y lo soy, voy a recibir aceptación, que es sinónimo de aprobación, y ésta se va convirtiendo en una representación inconsciente del afecto. La idea de "Si me aceptan es que me quieren" no es cierta: es una trampa más del ego. Si veo que mi entorno está esperando que me comporte de cierta manera y así lo hago, obtengo beneficios que me refuerzan estas conductas: nuestro ego se convierte en el maestro de nuestro personaje.

El personaje se empieza a alejar de su centro porque empieza a obtener reconocimiento y aprobación del exterior y se empieza a olvidar del interior, aunque hay una parte nuestra que siempre sabe que el halago no es el alimento que necesitamos. Entonces nos encontramos con personas que caen en una pérdida de sentido, que reconocen que tienen todo para ser felices y no lo son. Claro, porque el personaje está muy lejos de su centro; está en el hacer, en el tener, en el atesorar. Hasta que no entre en contacto con su centro no habrá una sensación de plenitud, vamos a seguir haciendo cosas afuera; hasta que no estemos en contacto con nuestro centro, no nos sentiremos saciados. Este riesgo es mayor en aquellas personas que crecieron en un ambiente en donde se les condicionaba el afecto a su desempeño u obediencia; "te quiero si eres bueno, si eres malo no te quiero", aunque la frase real sería "si haces lo que yo quiero, entonces te quiero; si me dejas controlarte entonces eres bueno". ¿Suena fuerte? ¡Lo es! Y la realidad es los cuidadores no siempre se dan cuenta de la importancia del impacto de lo que están haciendo o piensan que es la mejor forma de educar a sus hijos; si controlamos no estamos educando, estamos simplemente amaestrando por más fuerte que se escuche; si permitimos la expresión y ayudamos a nuestros hijos a que respeten las normas de la sociedad en que se encuentran estaremos al mismo tiempo respetando su sentir y enseñándole que hay una manera socialmente apropiada para expresarlo. Cuando mi pequeño hijo manifiesta su rechazo a alguien o algo independientemente de qué o quién sea, se lo valido únicamente cuidando que en su expresión no sea grosero o irrespetuoso y ahora, a sus tres añitos ha aprendido muy respetuosamente a decirme cuando quiere estar solo en su cuarto o viendo algún video: "Adiós mamá por favor" y con una sonrisa le digo "si mi amor, si me necesitas aquí estoy" y sin mayores complicaciones salgo de la habitación; este tipo de actitud incrementa la autoestima y la sensación de respeto que todos necesitamos. Por el contrario, cuando un niño crece en un ambiente en el que lo que siente no es validado, sino corregido todo el tiempo aprende a que el centro de valoración está afuera, a esperar una respuesta de alguien más o a buscar confirmación o aprobación de lo que siente o piensa y ahí es donde la separación que mencionaba anteriormente entre esencia y personaje se hace mayor, generando un hueco y una sensación existencial de vacío o incompletud.

Así nace el consumismo. Nos encontramos con personas cuya voracidad en la vida las induce a atesorar cosas materiales y nunca están satisfechas, porque hay algo ahí que no está siendo atendido. No voltean, no se detienen, no se centran un momentito, no se escuchan; y no porque no quieran, sino porque ni siquiera saben que hay alguien o algo ahí.

En muchas ocasiones he escuchado a mis pacientes decir: "Cuando estoy triste o deprimido, me voy de compras", y mi pregunta es: "¿Y cuándo te detienes a contactar con esa tristeza?". Lamentablemente, la respuesta más frecuente es: "Nunca, porque si me quedo ahí, me pongo peor". Nadie se pone peor si contacta con sus sentimientos, ésa es una mentira más del Ego porque lo único que ocurrirá es que saldrá a la superficie lo que ha estado escondido, manifestándose de una forma u otra: a través de síntomas físicos, insatisfacción, vacío, depresión, etcétera. De manera que el contacto interno es el único camino para encontrar las respuestas que necesitamos y que andamos buscando afuera.

No hay que dejar de lado que somos seres sociales y, como tales, necesitamos el contacto externo. Dicho contacto nos nutre, forma y ayuda a adaptarnos. Pero una cosa es el proceso educativo formativo y otra el proceso educativo deformativo. En la medida en que vamos creciendo, tenemos que aprender los parámetros de la sociedad porque formamos parte de ella, y la necesidad de pertenencia también es una necesidad básica. Sin embargo, debemos diferenciar entre estos tipos de procesos.

El proceso educativo formativo nos enseña las normas de la sociedad, los parámetros del entorno al que pertenecemos, y nos ayuda a desarrollar valores y conceptos éticos y morales que nos permiten integrarnos y ser parte activa de ella. Nos enseña a posponer nuestra individualidad en aras del bien común, mas no a sacrificarla. Nos hace conscientes de que somos células de un todo y responsables de nuestro hacer en el mundo, lo que nos lleva a asumir las consecuencias de nuestros actos y a elegir desde la libertad, no desde la imposición.

Por otro lado, el proceso educativo deformativo nos obliga a insertarnos dentro de una sociedad y a seguir sus parámetros de manera rígida; nos lleva a sacrificar nuestra individualidad y anular nuestras necesidades cuando éstas atentan contra las normas. En este estilo educativo no hay flexibilidad: se está dentro o se está fuera; el que no sigue las normas está contra ellas, y la consecuencia es la culpa y el arrepentimiento. No se elige desde la libertad, sino desde el miedo al castigo, entendiéndose que el castigo puede venir de fuera o del mismo interior. Se entrena a la persona a disociar, disminuir o incluso bloquear sentimientos, sensaciones o necesidades que puedan amenazar su participación en el grupo social y a maximizar, potenciar e inclusive premiar aquellas que le generen reconocimiento o estatus aun a pesar de ir en contra de sí mismo.

En el primer estilo se aprende a vivir y a convivir *dentro* del mundo, mientras que en el segundo se aprende a vivir *para* el mundo. Sin duda, una gran diferencia. Lo más triste es que el primer estilo parece tan lejano y fantasioso en ocasiones que ni siquiera se le da cabida. Lo maravilloso es que existe y da resultados formidables que impactan a la sociedad de un modo muy positivo.

Pongamos un ejemplo: un niño al que llevan de visita a un lugar en donde hay unas galletas que nunca come en su casa. Toma una y otra hasta que la mamá lo reprende y le dice: "No seas mal educado", y él llora, se asusta o hace berrinche. Si el niño está atentando contra una norma social, se le puede explicar, de acuerdo con su edad, que lo que está haciendo no es adecuado. Por ejemplo, se le puede decir: "Mira, mi vida, hay otros niños aquí, ¿qué te parece si compartimos las galletas?". Eso es educativo y formativo, se le hace entender que está en el mundo y se le ayuda a formar parte de él sin atentar contra su individualidad. Por el contrario, si no está atentando contra una norma ni contra su estar en el mundo, sino simplemente se le está limitando en un deseo que tiene, entonces empieza un proceso de deformación, porque el mensaje es: "Lo que tú quieres y sientes no está bien".

Lo que gana el personaje depende en gran medida del condicionamiento que la persona haya tenido; algunos han crecido en un ambiente en donde los requerimientos o exigencias de desempeño eran demasiado altos o rígidos y se convierten en las "ovejas negras" de la familia; rompiendo aparentemente con todas las reglas o expectativas de su sistema social, pareciera que esa persona no obtiene ninguna ganancia, por el contrario, únicamente se busca problemas, pero no es así; justamente está obteniendo la misma ganancia que otro miembro de la familia obtiene con su obediencia: reconocimiento sólo que de manera opuesta. Probablemente ante la imposibilidad de alguna manera de cumplir con los parámetros socio-familiares de su entorno no le quedó otra opción que desarrollar un personaje antagónico y así, de esta manera, logró lo que necesitaba: tener un lugar especial en esa familia, aunque fuera la "oveja negra". Ésta es una ganancia importante y mientras siga obteniendo el reconocimiento que necesita eso será lo que mantenga a su personaje en el mundo hasta que encuentre una relación en donde no se le condicione el afecto a su desempeño y en donde las máscaras no son necesarias, algunos son lo suficientemente afortunados para encontrarla y liberarse a través de ese amor incondicional de la prisión de su personaje, algunos simplemente buscan a personas igual de condicionantes que sus cuidadores y se pasarán toda la vida intentando demostrarles a estos nuevos "domadores" que "nadie va a decirles qué hacer con su vida", está por demás decir que la sensación de vacío tanto en el obediente como en el rebelde es igual de profunda porque ninguno de los dos está en contacto con su centro sino que ambos están girando alrededor de su entorno.

La otra parte que constituye el ego es el **orgullo-soberbia.** Esta parte no es otra cosa más que la idea errónea de que siempre tenemos la razón y que lo que decimos siempre está bien. Hay una frase que dice que nadie cambia mientras se sienta orgulloso de algo. Cuando entramos en ese territorio, tenemos que darnos cuenta de que la persona no está lista para el cambio, porque las ganancias que continúa obteniendo siguen siendo mayores que el precio que está pagando. Cuando el precio es más fuerte y nos damos cuenta del dolor y el sufrimiento que estamos soportando, eso impacta nuestra vida, y en ocasiones es la única manera que tenemos para detener el distanciamiento de la esencia.

Gerald Jampolsky tiene una frase que me gusta mucho: "¿Quieres ser feliz o quieres tener la razón?". En una frase muy sencilla y corta se encierra una de las trampas más frecuentes del ego: la soberbia. No hay nada que haga más vulnerable a un ser humano que la vanidad, porque es un terreno muy pantanoso; parece tierra firme, pero en cuanto la pisamos corremos el riesgo de ser "tragados" por ella. Por eso hay que ser cuidadosos con los elogios. Como digo con frecuencia: al adulador créele 10%; al criticón, 20%; y a tu intuición, 70%. Si tu intuición coincide con el adulador, entonces tendrás 80% de disfrute de tu logro sin llegar a envanecerte en 100%; y si tu intuición coincide con el criticón, entonces tendrás 90% que mejorar, apoyándote en 10% que hiciste bien.

La única vacuna contra la soberbia es no perder contacto con la realidad que nos rodea, porque nos recuerda a cada instante lo falibles y vulnerables que somos. Es el único modo de mantener los pies en el suelo y caminar, en vez de volar o arrastrarnos. Por absurdo que parezca, algunos también se sienten orgullosos de ser "poca cosa" y se niegan a abandonar ese rol.

Somos soberbios cuando pensamos que somos poseedores de la verdad y que conocemos todas las respuestas; déjame preguntarte: ¿sabes cuántas veces tu corazón late por minuto ahora mismo? ¿cómo es que no lo sabes si tu vida depende de ello? Si no puedes contestar algo tan fundamental en tu vida ¿cómo pretendes saber lo que la otra persona siente o piensa? Y no porque te pida que cuentes tus latidos; ahora mismo estoy sentada en Union Square, escuchando al tranvía subir y bajar por Powell Street en una bellísima y plácida tarde en San Francisco escribiendo esto y yo misma no sé cuántas veces late mi corazón, alzo mis ojos y veo frente a mí a la hermosa pareja de ancianos compartiendo una ensalada con las palomas y tan solo disfruto verlos, si ellos supieran que de alguna manera los estás viendo tú ahora también ¿qué dirían? Ésa es la trampa, que nuestra mente es capaz de contar y completar una historia completa alrededor de un evento y darla por hecho, la soberbia nos lleva a defenderla porque el ego nos dice que tenemos la razón.

La soberbia es una manifestación importante de la falta de afecto o de amor incondicional en nuestra vida, por eso es que el que tiene su vida llena de amor poco le importa tener o no la razón, no la necesita porque ya es feliz, así que qué más le da quien tenga la razón. La crítica mordaz es una manifestación pura de la soberbia; no hay persona soberbia que no critique y no hay criticón que no esté alejado de su centro. Hoy leí una frase que decía: Si verdaderamente comprendiéramos no habría necesidad de perdonar. Y me parece bellísimo porque es cierto. Si comprendemos que todos somos seres humanos falibles, volubles y en permanente proceso de aprendizaje ¿por qué sorprendernos de nuestras inconsistencias y de las de los demás? ¿Por qué sentirnos heridos o lastimados por sus limitaciones, cuando hablan más de ellos que de nosotros? Alzo nuevamente mi vista y mis ojos se encuentran con una mamá jugando con su bebita que está aprendiendo a caminar, la mamá trata de jugar a la ronda con ella y la nena cae una y otra vez al suelo riendo, la mamá sin soltar sus manitas la ayuda a levantarse una y otra vez con una enorme sonrisa y cantando la misma canción ¡Una escena verdaderamente bella que me llena la vista y el corazón! Qué diferente sería la vida si en vez de sentirnos superiores a los demás, con una sonrisa amorosa los ayudáramos a realizar aquello que nosotros ya dominamos como en este caso, sabiendo que nunca estaremos exentos de caernos y que la vida da tantas vueltas que muy probablemente y entrando al terreno de la fantasía en unos 40 años esa nena estará ayudando a su mamá a levantarse del suelo confío que con la misma sonrisa amorosa con que la madre la levantaba a ella. Pero el ego nos cuenta otra historia con la soberbia, nos cuenta que aquellos que comenten errores son menos que nosotros, menos inteligentes, menos guapos, menos simpáticos, menos poderosos, menos hábiles, etcétera. Y entonces empezamos a diseñar la vida de los demás, he llegado a escuchar a personas que literalmente dicen: "si las personas hicieran lo que yo digo la vida sería más fácil" , así lo creen y seguramente están en lo cierto, la vida sería más fácil para ellos mismos, pero eso no implica que lo sea para los demás ni que dichos parámetros los hagan felices; no conozco a un solo controlador completamente feliz, porque siempre existe un miedo inherente a perder el control. Ése es el precio del ego.

Ya que hablamos del miedo vamos a profundizar en su relación con el ego.

e. Relación ego-miedo

El tamaño del ego es proporcional al tamaño del miedo. Mientras más asustado y perdido se sienta el personaje, más se va a separar de su esencia y más tratará de llamar la atención. Cuando estamos asustados, lo primero que perdemos es la claridad pues entramos en un proceso automático de alerta instintiva que no lleva a reaccionar más que a responder. Eso nos hace tener reacciones que después no comprendemos. Lo mismo en la vida: tomamos decisiones sumamente precipitadas por miedo. En mi vida personal yo aplico (y pido a mis pacientes que apliquen) una regla de oro: *en un momento de crisis, jamás tomemos una decisión trascendente*. No es el momento, ya habrá uno, ya llegará el tiempo de decidir, pero no cuando estamos en crisis, porque es como si nos estuviéramos derrumbando.

Imaginemos que estamos parados en un precipicio y todo se está moviendo. ¿Qué es lo primero que vamos a hacer? Nos agarraremos de lo primero que podamos para no caer. Es una reacción basada en el instinto de conservación, el cual no está limitado a lo físico, sino a la vida emocional también. Si yo estoy viviendo la ruptura de una relación totalmente confluente con la sensación de que me voy a morir si esta persona no está conmigo, me voy a agarrar de lo que esté a la mano, sea humano, animal, bebida, comida, lo que sea, con tal de sentir un poco de seguridad.

Llega un momento en el que esto se hace más obvio y evidente, porque el miedo es el alimento del ego: lo necesita para seguir creciendo. Luego, para no perder el control, recurre a estrategias de manipulación que se manifiestan en función del matiz del personaje. Por ejemplo, "el seductor" se vuelve más seductor y encantador para controlar su entorno; "el hipocondríaco" se enferma más; "la víctima" se genera más problemas; "el bueno" trabaja más y se sacrifica más. Es decir, hay una maximización de los roles en cuanto el miedo se incrementa. Si ponemos atención, podemos descubrirlo.

Entre la esencia y el ego, vale decir, entre la esencia y el personaje, hay una unión natural; lo que los va separando es el miedo. Ante el miedo tengo dos opciones: volteo hacia mí o volteo hacia fuera y entonces trato de encontrar las soluciones. Las soluciones externas me van a ir alejando cada vez más de mí mismo, porque mi centro de atención está afuera. Pero si volteo hacia mí mismo, me quedo en mi centro, conmigo. El miedo puede permanecer, pero ya no me siento solo y siento que soy capaz de enfrentarlo. Esto está directamente relacionado con lo que hablábamos antes de aprender a validar lo que sentimos o aprender a poner nuestro centro fuera; todos los seres humanos vamos a sentir miedo en diferentes momentos a lo largo de nuestra vida porque todos estamos en cambio permanente y el miedo es originado por una sensación de amenaza, y cada cambio aunque sea emocionante y esperado tiene una parte de amenaza porque nos enfrenta a lo desconocido; así que sentir miedo es sano; lo importante es qué hacemos con el miedo, cómo lo enfrentamos, cómo lo manejamos y a quién ponemos a cargo: a nuestra esencia o a nuestro ego, porque hay una gran diferencia.

¿MIEDO A QUÉ?

A no ser lo suficientemente buenos. Esto se genera cuando se nos ha condicionado el afecto a la ejecución de roles y patrones sociales. Si no hacemos las cosas como "deben ser", surge el miedo a no ser querido, a ser rechazado y a perder el afecto. Un ser humano no puede sobrevivir en este mundo si no ha recibido por lo menos el mínimo de afecto. Si estamos vivos y no estamos psicóticos, algo bueno hicieron con nosotros, por más terrible que haya sido nuestra infancia. Si nadie nos hubiera querido realmente, no estaríamos vivos ni funcionando. Pero hay que renunciar al patrón de victimización para reconocerlo.

Todos hemos recibido en mayor o menor medida afecto, unos más condicionados que otros. Cuando se nos ha condicionado el afecto básico –es decir, somos aceptados y queridos en función de nuestro hacer, no de nuestro ser–, nos aterramos ante una mínima señal de pérdida de afecto, porque el sentirnos queridos en la infancia es sinónimo de supervivencia. Si no nos ponen atención cuando somos niños, morimos. Esto se reactiva después en la edad adulta en las relaciones significativas: "Si mi pareja no me quiere, me muero", y la persona realmente lo vive así. Ésta es una actitud totalmente regresiva: se está sintiendo rechazada y, en su interior, rechazo es igual a amenaza de muerte, porque no alcanza a diferenciar que ya no es un niño y que ahora tiene otros recursos; se quedó esa herida.

Estos son los argumentos con que el ego nos atrapa: "No te van a querer", "Si haces esto, si haces lo otro..., vas a perderlo todo". Es el juego del ego que toma su poder del miedo. Nos asusta para tomar el control y eso hace que nos separemos más, que invirtamos más energía en perfeccionar el personaje y moldearlo de acuerdo con lo que creemos que el ambiente espera de nosotros, en un intento inconsciente de mantener el control. El problema es que mientras más tratamos de darle gusto a los demás, más solos nos sentimos por dentro, porque nos estamos perdiendo de nosotros mismos.

Una vez escuché a una famosa presentadora de televisión que contaba que tenía una hermana y que su madre, tratando de hacer sentir bien a las dos, decía que su hermana era la bonita y ella, la inteligente. Pero, al fin de cuentas, a su hermana la hacía sentirse tonta y a ella, fea. Era como que a ambas les faltara algo. Entonces la bonita se esforzó por ser más bonita, centrando su poder en eso, y la inteligente se esforzó por serlo más, ambas para tratar de compensar lo que aparentemente no tenían, según el mensaje que habían recibido de niñas. Este ejemplo es muy interesante porque en ningún momento podemos pensar en que la madre hubiera tenido la intención de lastimar a ninguna de las dos, por el contrario, se había dado cuenta de que una de sus hijas era más agraciada físicamente y la otra más inteligente y trató de convertir estas cualidades en el punto fuerte de cada una sin darse cuenta de que al mismo tiempo mandaba el mensaje a la bonita de que no era tan inteligente como su hermana y a la inteligente el mensaje de que no era tan bonita como la otra, así que aunque ambas potenciaron su rasgo fuerte siempre tuvieron la sensación de que les faltaba algo que la otra tenía. De ahí el poder de las palabras y cómo permanecen por siempre.

El personaje diseña una armadura de protección que es como un impermeable contra la vida. Entonces puede desarrollar actitudes de **indiferencia:** "A mí no me importa el mundo, ni lo que piense la gente". Si verdaderamente no te importa el mundo, no tienes para qué pregonarlo. El mundo no tiene que enterarse de que no te importa. Pero si quieres que se entere, entonces sí te importa, aunque digas lo contrario. Si yo estoy segura de que el pasto es verde, no tiene caso que me esfuerce en probarlo o en convencer a los demás; yo sé que es verde y punto. El que los demás lo vean como yo o no, no va a cambiar mi percepción, a menos que no tenga la certeza de lo que percibo –entonces entra la duda y posteriormente la confusión.

La **culpabilidad** es otra actitud que forma parte de la armadura. Esto lo puedo decir con certeza, porque en mi familia crecimos con el culto a la culpa. Ocurría algo y lo primero que se preguntaba era: "¿Quién tuvo la culpa?". Ésta también se va convirtiendo en una herramienta de protección, en una armadura. Como un modo de evadir la responsabilidad, hay una búsqueda permanente de culpables. Entonces nos encontramos con frases como: "Si yo hubiera tenido otros padres, otra vida, otra historia, sería diferente". Indiscutiblemente que sí, serías diferente. Pero eso no quiere decir que serías mejor de lo que eres ahora.

Yo uso esta metáfora con frecuencia: si nacemos en una familia que habla español, vamos a aprender a hablar español. Eso es lo que tuvieron para mí y lo mejor que pudieron ofrecerme. Llega un momento en la vida en que es mi decisión aprender otro idioma para comunicarme mejor con el mundo, y eso ya depende de mí, no de mis padres ni de mis cuidadores. Si los seguimos culpando por lo que no pudimos ser o hacer, se convierten entonces en una excusa para lo que yo llamo **mediocridad existencial**: conformarme con ser lo que me permitieron ser, sabiendo que puedo llegar a ser algo más.

La mediocridad existencial no es culpa de nadie; es responsabilidad tuya. Puedes pasarte la vida entera encontrando excusas de por qué eres así o por qué te hicieron así. Eso no te servirá de nada más que de escondite. Tú eres como eres porque no has tenido el valor de buscar alternativas nuevas y te has quedado ahí rumiando el alimento que recibiste. Tus padres y cuidadores ya cumplieron con su misión y lo hicieron lo mejor que pudieron. Es momento de que te des cuenta de que ya creciste y que lo que hagas con tu vida ahora sólo depende de ti. Aquí y ahora. ¿Quieres una vida diferente? Constrúyela; ¿quieres un mejor trabajo? Prepárate y búscalo; ¿quieres una mejor pareja? Crece como persona; ¿quieres ser más feliz? Deja de quejarte y aprende a agradecer. En este punto tengo dos noticias para ti, una buena y una mala: la mala es que no hay nadie más a quien culpar ni a quien responsabilizar por tu infelicidad, la buena es que está en tus manos ser feliz y ése es el verdadero reto guerrero.

La intelectualización y la evasión del contacto real es otra forma de armadura. El personaje se evade del contacto real por miedo al dolor y puede surgir un bloqueo que lo lleve a desarrollar un hedonismo, que es la búsqueda del placer por el placer mismo, sin ningún otro sentido, como un modo de evadir el dolor que está adentro. El hedonista sufre tanto por dentro que ha desarrollado estrategias maravillosas para aprender a divertirse a pesar de ese dolor y buscar el placer por el placer mismo. Normalmente el hedonista busca más placer cuando siente más dolor, y los niveles de placer tienen que ser muy elevados para acallar el dolor. Es un mecanismo muy interesante, porque podemos ver la manifestación total del ego. El hedonista no disfruta del dolor; ése es el masoquista. El hedonista evade compulsivamente el dolor y por eso cae en una búsqueda compulsiva del placer.

La intelectualización se convierte en un recurso muy importante cuando de evadir el contacto se trata porque entonces la mente se convierte en el director de la orquesta; intentará entender lo que se siente, el por qué se siente y decidirá con mucha frecuencia en qué momento del sentimiento es hora de meter retirada porque ya se está entrando a un terreno peligroso. El peligro es que el sentimiento le gane al pensamiento y eso me recuerda mucho a un querido amigo con una enorme dificultad para manejar su mundo emocional que cada vez que sentía que se involucraba más en una relación sentimental se volvía más distante, confundiendo y paradójicamente alejando a sus parejas, aún recuerdo la última vez que hablábamos de esto y él reconocía que su manera de ser llegaba a "cansar" a sus parejas y que tarde o temprano las cosas no funcionaban. Curiosamente se había casado con una mujer de la que estaba bastante distante emocionalmente y vivía si no feliz, sí bastante cómodo, aunque su corazón estuviera en otro lugar. Su ego lo había llevado a elegir y a crear de manera inconsciente las condiciones adecuadas para vivir de una manera "segura" aunque el precio a pagar fuera su felicidad, un precio que compensaba enfocándose en sus hijos y experimentando un gran vacío a nivel personal. Era un padre feliz y un hombre insatisfecho, pero cómodo.

En otros casos la intelectualización, sobre todo en personas que poseen coeficientes intelectuales muy elevados, puede llegar a convertirse en narcisismo intelectual, lo que hace que este tipo de personas sean unas verdaderas bibliotecas ambulantes, conocedores y expertos en muchos temas y áreas que utilizan de manera consciente o inconsciente para siempre tener de qué hablar menos de ellos mismos; con frecuencia repiten frases o citas de otros autores en vez de expresar su opinión propia y aunque pueden sobresalir por ser siempre el centro de atención o la "voz cantante" en una conversación grupal, difícilmente hablarán de su vida personal o sus sentimientos, dándose de esta manera una evasión constante del contacto real.

El personaje/ego no se destruye. La disolución del ego no existe, porque si destruyo a Pilar Ocampo, ¿cómo cumplo mi misión? No puede ser. El ego o el personaje es un vehículo de manifestación de la esencia. ¿Qué voy a hacer con Pilar Ocampo? ¿Qué va a ser cada uno de ustedes con el personaje que ha conformado a través de su historia? Cuando pongo el personaje al servicio de la esencia, estoy viviendo en congruencia y viene una sensación de reencuentro, de paz. Puede haber un caos exterior, pero por dentro estoy en paz, estoy en casa. Esto no significa que no me importe, no me duela o no me preocupe lo demás, pero ya no me siento solo. El sentirme completo, conmigo, me dará la fortaleza suficiente para atravesar cualquier dolor, por grande que sea. El pensar o pretender que estamos en este mundo para evadir el dolor y ser felices "para siempre" es una actitud totalmente hedonista y fantasiosa, porque el dolor forma parte de la vida.

Dolor y sufrimiento son dos cosas diferentes: el dolor es lo que no podemos evitar y el sufrimiento es lo que yo me hago con eso que me duele. Un ejemplo es cuando perdemos a alguien que amamos. Indiscutiblemente, la pérdida me va a generar dolor. Pero si también me siento culpable y me lleno de "hubieras...", entonces, además del dolor, me genero sufrimiento. El dolor no puede evitarse; el sufrimiento sí. ¿Qué hago yo con ese dolor? Eso sí está en mis manos.

Todos los eventos de dolor de nuestra vida son una oportunidad para aprender, para fortalecernos y para renacer más completos de ellos; cada evento de dolor tiene un sentido y encontrar dicho sentido es lo que nos permite caminar a través de él. La pérdida de sentido genera sufrimiento porque con gran frecuencia la persona que ha perdido el sentido se siente víctima y si hay una víctima forzosamente tiene que haber un victimario, lo que hace que al encontrar al supuesto victimario gaste la energía que podría utilizar en crecer atacándolo. No siempre tenemos que comprender qué sentido tiene determinado evento porque la realidad es que la gran mayoría de veces no sabemos por qué o para qué estamos viviendo una situación tan dolorosa y es entonces cuando entra el reto de confiar en que todo tiene un para qué aunque no lo comprendamos en ese momento.

Uno de los momentos más dolorosos de mi vida fue cuando perdí a mi primera bebita, tenía tres meses de embarazo y hacía sólo unos meses que me había tocado mandar a la Luz a mi papá, el ser que más había amado hasta entonces, de un cáncer de huesos, y que había elegido morir en mis brazos; ese embarazo significaba celebrar su primer aniversario luctuoso generando vida en mi cuerpo y justo una semana antes de ese día, me desperté sabiendo que mi nena ya se había ido, horas después estaba en el hospital sometiéndome al proceso quirúrgico de rutina; recuerdo que cuando regresé a casa lo único que hice fue postrarme ante el altar que tengo, completamente destrozada, y decirle a la Divinidad: "no entiendo tus motivos, pero aquí está mi dolor, tómalo y dame luz para seguir adelante"; no sé cuánto tiempo pasé así, sólo recuerdo haberme quedado dormida llorando y sentir que mi esposo me cubría con una cobija; al despertar lo primero que vi al abrir los ojos fue la imagen de la Virgen de Guadalupe, mi amada Tonatzin, y supe que iba a estar bien. Medité mucho las semanas siguientes tratando de encontrar el mensaje que se me estaba enviando a través de este evento, hasta que lo encontré; justo nueve meses después de la partida de mi hija me embaracé de mi hijo, mi pequeño gran maestro.

En ningún momento recuerdo haber sufrido el evento, no hubo culpas, lamentos o arrepentimientos de ningún tipo, era dolor puro y aunque no entendía en ese momento el para qué o no encontraba el sentido porque me encontrada sumergida en el dolor, confiaba en que había uno y esa confianza es el origen de nuestra fuerza, de nuestra verdadera, absoluta e inquebrantable fortaleza.

f. La esencia

La esencia no es otra cosa más que el **AMOR**, y aquí hablo del amor que se desarrolla en función del nivel de conciencia de unidad. Si tengo conciencia de unidad, de que formo parte del Todo, que soy parte del universo, que no estoy aquí por accidente y que las personas que están y han estado a mi alrededor no son un accidente en mi vida, sino que estoy aquí por algo y para algo, entonces el amor se desarrolla, porque el experimentar el Amor está relacionado con el nivel de conciencia. A mayor conciencia mayor capacidad de experimentar el Amor, no el afecto que es lo que todos los seres humanos experimentamos en mayor o menor medida.

El Amor no tiene nada que ver con el enamoramiento. No pretendo romper el romanticismo de nadie, pero el enamoramiento es un estado alterado de conciencia por más hermoso que sea. Únicamente cuando el enamoramiento pasa puede surgir el amor, porque entonces veo al otro en su justa magnitud. El enamoramiento es simplemente la proyección de mis sueños, anhelos, necesidades; es una fantasía y, mientras dure, me impedirá ver al otro como realmente es. Por eso la desilusión duele tanto. Realmente cuando nos desilusionamos vivimos el duelo de nuestra propia fantasía que en muchas ocasiones no tiene nada que ver con la persona-maniquí a la que le colgamos el traje que habíamos bordado durante tanto tiempo. Imagínate que has estado bordando un hermosísimo traje, con el diseño perfecto que has ido ajustando a lo largo de los años; finalmente aparece una persona que parece ser la ideal para portarlo y se lo pones; al principio no te das cuenta de que no es completamente de su talla, pero con el paso del tiempo descubres que las mangas le quedan cortas y que la espalda parece estar bastante ajustada; entonces viene la parte increíble, en vez de ajustar las mangas y la espalda de tu diseño, pretendes que sus brazos se acorten y que su espalda se haga menos ancha; si tu diseño es perfecto, el que está mal es el otro ¿no es cierto? ¿Suena ridículo? Esto es el enamoramiento y el proceso de desilusión que conlleva, podemos dar el paso que nos lleve al amor, dejando de lado nuestro diseño y empezando a explorar las dimensiones reales del maravilloso ser que tenemos enfrente o tomar nuestro diseño, reclamarle que lo echó a perder y entre lágrima y lágrima bordar nuevamente cada lentejuela en lo que aparece la siguiente "víctima".

El Amor no condiciona porque comprende que cada ser es maravilloso en su esencia y que cada uno tenemos nuestras "cadaunadas" parte de nuestro ser humanos; cuando amas realmente algo o a alguien, simplemente lo disfrutas sin poder cambiarlo. Si realmente amas la vida aceptas lo que te traiga, disfrutas su diversidad y los regalos y sorpresas que tiene para ti día a día; si hace sol te quitas los zapatos y disfrutas el pasto; si llueve disfrutas el olor a mojado; si hace frío te tapas y si hace calor te tomas un helado. ¿No es esto mucho más fácil que enojarte por el sol, por el frío, por la lluvia o por cualquier otra cosa? Finalmente nada va a cambiar para darte gusto y lo maravilloso de un día no está en el día en sí mismo, sino en cómo lo vivas tú, en elegir vivirlo desde el control o desde la celebración, finalmente ésa es una actitud de amor.

Cuando hablo de regresar a casa, al contacto con la esencia, me refiero a entrar en contacto con ese Amor que proviene de la unidad, que va más allá de las relaciones con los seres humanos. El Amor lo es todo porque es vida. La Divinidad es Amor puro, no importa el rostro o nombre que le pongamos. Por fortuna, está totalmente libre de cualquier proyección humana que hagamos. No importa si pensamos en un Dios que se enoja si hacemos algo malo. Entendamos de una vez por todas que ésa es la proyección de lo que aprendimos en la infancia con nuestros padres o cuidadores. Ellos eran los que se enojaban con nosotros si no actuábamos como nos decían. Eran ellos los que nos castigaban. Es la sociedad la que nos rechaza.

La Divinidad sólo Es; no hace, Es. No da, Ama, porque es Amor Puro y el Amor Puro está totalmente libre de condiciones y contratos. Es, como el aroma de una flor que se esparce por el aire. Está ahí y nos envuelve, seamos conscientes o no. No necesitamos hacer nada para merecer ese amor. Nos pertenece porque somos parte de él, pero no nos hemos dado cuenta. No hay que ganarse la entrada al paraíso. El paraíso es un nivel de conciencia que se alcanza cuando somos conscientes de que siempre hemos sido y seremos amados; cuando sentimos ese amor y ese abrazo en todo nuestro ser y vibramos con él; cuando vemos alrededor y nos damos cuenta de lo inútil de los juicios, porque no hay nada que juzgar: todo es como es, así de simple.

Cuando podemos vernos a nosotros mismos en la naturaleza o en otro ser humano y nos relacionamos con el mismo respeto que nos merecemos, entonces entramos al paraíso y no hay que esperar a estar muerto para hacer cuentas. Las cuentas están al día y cada momento pagamos por ellas: en abonos, "cómodas mensualidades" o al contado. El día de pago siempre llega y no tiene nada que ver con un castigo o un juez severo, sino con la ley de Causa-Efecto. Si escupes al cielo, tarde o temprano te caerá en la cara; si regalas una sonrisa, algún día regresará a ti.

Es fácil hablar bonito o leer cosas lindas, pero ¿cómo lograr todo esto?, ¿qué hacer? Mi reto personal ha sido encontrar "cómos" claros y concretos que me permitan primero trabajar en mí y luego compartirlos con los demás, sean pacientes, alumnos o participantes en algunas de mis conferencias o talleres. No puedo hablar de algo que no conozco, y menos proponerle al mundo algo que no he comprobado, porque, aparte de ser absurdo, sería una falta de ética total.

Mi propuesta terapéutica es resultado de años de trabajo y autoexploración, de un caminar curioso e incrédulo por diferentes senderos, pues me considero bastante escéptica, sin llegar a ser profana. No creo en lo que no conozco y no promuevo lo que no me funciona, porque carece de validez para mí; sin decir con esto que carezca de validez para los demás. El respeto a la diversidad es una de mis premisas y desde ahí propongo. Si algo de lo que comparto contigo te hace sentido, tómalo. Si no, por lo menos ya tienes claro que éste no es tu camino. Ya llegará en su momento.

Para explicar más y mejor mi propuesta terapéutica, me voy a permitir usar el pentagrama, símbolo del ser humano desde hace millones de años y sobre el cual se han desarrollado infinidad de teorías y conceptos. Me parece justo mencionar a Serge Ginger, quien lo incorpora a la Gestalt de una manera muy interesante, y es sobre esa base que he desarrollado mi propuesta.

[illegible]

[illegible]

[illegible] en sí mismos.

Para explicar [illegible] [illegible] el [illegible] de los [illegible], [illegible] de [illegible] [illegible] [illegible] [illegible] [illegible].

~2~

El pentagrama humano

Aquí vemos un ser humano completamente abierto. En ambas piernas se ubican las dos partes que lo conforman: la parte física y la parte espiritual. El espíritu y el cuerpo son lo que nos permite estar en este mundo. Un cuerpo sin espíritu, sin chispa divina, es una masa inerte, sin vida; y un espíritu sin un cuerpo es esencia etérea. El cuerpo le da al espíritu la posibilidad de manifestarse y el espíritu le da al cuerpo la vida que necesita para existir.

En ambos brazos vemos los tipos de contacto que establecemos: el contacto afectivo y el social y en la cabeza, obviamente, el área mental.

a. Área física

Esta área se refiere a todo lo relacionado con nuestro cuerpo: la alimentación, el descanso, el ejercicio. El cuerpo es nuestro vehículo de manifestación a través del cual somos en el mundo. Un cuerpo sano, de mejor calidad, nos ayudará a que nuestro estar en el mundo sea más fácil. De ahí la importancia de atenderlo y cuidarlo, porque es el único cuerpo que tendremos durante todo nuestro caminar. Belleza y salud son dos cosas diferentes y, en ocasiones, se sacrifica la salud por la belleza; mucho cuidado. La belleza propia de un cuerpo sano es mucho más importante, aunque no cumpla con los estándares estéticos de la sociedad en la que estamos.

Hablamos con nuestro cuerpo y nuestro cuerpo habla de nosotros; si te fijas bien puedes inferir algunas cosas de las personas sólo con observar su cuerpo, inferir no es juzgar; ¿qué dice tu cuerpo de ti? ¿qué mensaje le estás mandando al mundo a través de él? Éste es un punto muy interesante para reflexionar porque entonces podríamos empezar a trabajar para mejorar y atender aquellos puntos que creamos que hemos descuidado.

Hace unos días me encontraba en un pequeño café haciendo fila para comprar una ensalada y había un chico joven, de muy baja estatura, bastante pasado de peso que se notaba ansioso a un lado mío, le pregunté si estaba haciendo fila y me contestó que no, que sólo iba a entregar una solicitud; le ofrecí que pasara primero que yo y pude observar su aspecto general bastante sucio y descuidado, cuando el empleado del mostrador le pidió que firmara la solicitud dijo que no llevaba pluma tartamudeando, estoy segura que a menos que no haya nadie más solicitando el trabajo difícilmente le llamarían; estaba mandando el mensaje opuesto a lo que quería lograr. En muchas ocasiones eso pasa, mandamos el mensaje equivocada con nuestro cuerpo. Es como cuando leo en algún encabezado que una actriz o cantante cuya carrera se basa obviamente en el despliegue de sus atributos físicos bastante bien definidos por las manos expertas de los cirujanos, se queja de ser vista como un objeto sexual. Nuestro cuerpo somos nosotros, y necesitamos ser conscientes de que nos estamos comunicando constantemente con el mundo a través de él para poder empezar a trabajar en la congruencia desde este punto básico.

Los dos riesgos en esta área: el narcisismo físico, que es estar atado a la belleza del cuerpo; y el descuido total, que implica la desatención de las necesidades. Ambos extremos, tarde o temprano, nos llevarán a la enfermedad.

El narcisismo físico es el centrar la atención en nuestra apariencia física; todos tenemos belleza y somos bellos para los ojos de alguien; el riesgo es centrar mi poder personal en mi aspecto físico porque entonces estaremos construyendo una torre sobre una base muy frágil; lo que hoy es belleza mañana puede cambiar y entonces todo el mundo de esa persona se tambaleará. Somos demasiado para centrarnos en tan poco.

b. Área espiritual

El otro pie del ser humano. Nunca somos más humanos que cuando contactamos nuestra divinidad y la única manera de contactar a la Divinidad por medio de nuestra humanidad. Hablar de espiritualidad no es hablar de religión. La espiritualidad nos conecta con el universo y nos hace sentirnos parte del Todo. Las religiones son una vía para lograr ese contacto, aunque desafortunadamente a veces las personas se pierden en las formas y se olvidan de la esencia, que es la misma para cada credo.

El Todo está presente en cada ser vivo, en cada momento de nuestra existencia. Se manifiesta amorosamente en un universo vivo que late y que mantiene su equilibrio más allá de cualquier intento de destrucción humana. El Gran Espíritu nos acoge, nutre, protege y acompaña amorosamente. Se manifiesta y nos habla a través de la intuición, de un sueño, de una corazonada o de los ojos de otro ser humano. Nos otorga a cada momento el regalo del libre albedrío.

Creo en una energía maravillosa que siempre está presente dentro y fuera de nosotros; en la Madre Tierra, que nos sostiene y alimenta; en el abuelo fuego, que nos llena de vida; en el Padre Sol, que, al traer un nuevo día, nos trae también la oportunidad de empezar de nuevo. Creo en ese Gran Espíritu que no forma parte de ninguna religión y que sí está presente en todos los cultos, porque sólo hay uno, independientemente del nombre y de las reglas que los seres humanos hayan inventado para acercarse a él.

El Gran Espíritu está en la naturaleza, en el sol, en los árboles, en los pájaros, en el agua que no cuidamos, en la comida que desperdiciamos. No hay templo más bello que nuestro propio cuerpo y nuestro ser entero, porque toda la naturaleza se encuentra dentro de nosotros. ¿Quién puede sentirse solo si verdaderamente contacta con este hecho? Los abuelos de las tradiciones indígenas nos recuerdan a cada momento que el agua es nuestra sangre, la tierra nuestro cuerpo, el aire nuestro aliento y el fuego nuestro espíritu.

Tristemente, la forma como cuidamos la naturaleza es un reflejo de cómo nos cuidamos a nosotros mismos. Así como dejamos de ver lo bello de un atardecer por estar corriendo en el "hacer" cotidiano, también dejamos de ver lo bello de nuestros pies, que nos han llevado a recorrer tantos caminos. Así como tiramos basura en la calle, también llenamos de basura nuestro interior con alimentación, sentimientos y relaciones tóxicas.

No tenemos escapatoria. Somos parte de un Todo, queramos aceptarlo o no. Lo que hagamos en contra de nosotros y de nuestro entorno, tendrá consecuencias que afectarán al universo entero. No hay postura más egoísta que pensar que estamos solos en este universo, porque entonces creemos que nada de lo que hacemos afecta a los demás. Ésa es la mayor irresponsabilidad que conozco.

Si verdaderamente somos conscientes de que formamos parte de ese Todo y de que necesitamos estar en contacto con esa parte espiritual para construirnos sobre una base firme y pararnos en nuestros propios pies entonces podemos tomar conciencia de que nuestro cuerpo es el vehículo de manifestación de nuestro espíritu, y eso lo convierte en un lugar sagrado. Ambos conforman mis dos piernas y pies para moverme en este mundo. Todo lo que me aleje del contacto de mi cuerpo y de mi espíritu será como andar cojo de una o ambas piernas y así será mi caminar existencial. A mayor distancia entre ambos, mayor desequilibrio; a mayor cercanía, mayor consistencia y firmeza en mi estar en el mundo.

Los riesgos en esta área: el fanatismo o la negación total. Ambos nos llevarán, de igual manera, al vacío. Tan vacío se siente el fanático como el ateo, lo reconozcan o no; el fanático tratará de llenar su sentimiento de vacío depositando su centro de poder en sus guías, sus maestros, sus pastores, sus sacerdotes, etcétera. Mientras el ateo lo tratará de llenar con intelectualizaciones o argumentos teóricos. Un entrevistador le preguntó al Dalai Lama cuál era la mejor religión, asumiendo que su respuesta iba a ser el Budismo, el Dalai Lama sonrió y le respondió: "La mejor religión es la que te haga más compasivo, más respetuoso y más agradecido; ésa es la mejor religión para ti". La Divinidad es verdad absoluta en sí misma, lleguemos a ella de la manera que lo hagamos. Si finalmente todos buscamos la felicidad y la paz interior lo importante es que cada uno lo logre independientemente de los cómos.

C. Área afectiva

Aquí es donde establecemos contacto con el otro, con aquel que elegimos para otorgarle un papel significativo en nuestra historia, lo hagamos de forma consciente o no. En esta área desarrollamos la habilidad para relacionarnos íntima y profundamente con quien elijamos como nuestra pareja, hijos, familia, amigo, terapeuta, etcétera. El área afectiva se desarrolla en función de los aprendizajes que tengamos de acuerdo con cómo manejar nuestras emociones y expresar nuestros sentimientos. Su sano desarrollo puede verse limitado por una serie de prohibiciones tanto en el sentir como en la expresión de ciertos sentimientos, y se relaciona directamente con el proceso de socialización.

Los sentimientos se dividen en:

1. **Básicos.** Aquellos con los que llegamos al mundo y experimentamos todos los seres humanos: miedo, afecto, tristeza, enojo y alegría.
2. **Neuróticos.** Son los que se originan por el mal manejo de los sentimientos básicos y pueden ser resultado de la mezcla de más de uno: resentimiento, celos, culpa, envidia, etcétera.
3. **Existenciales.** Se desarrollan en función del nivel de conciencia: libertad, amor, finitud, soledad y vacío fértil.

Cada uno de estos sentimientos tiene su propia dinámica y matizan totalmente el mundo de las relaciones interpersonales.

En cada sistema social existen sentimientos que son más reconocidos que otros y algunos que son criticados o minimizados; de ahí frases como: "los González somos muy alegres" o "los Martínez son muy enojones"; esto es porque la forma y estilo de manejo emocional se aprende y se trasmite; los dos sentimientos que son más complicados de reprimir son el enojo y el miedo porque son los que generan más síntomas. Por ejemplo: un enojo mal manejado puede llevar a una depresión, que contrariamente a lo que se piensa poco tiene que ver con la tristeza. Si revisamos la Medicina Tradicional China vamos a encontrar que cada órgano está relacionado con un sentimiento y el manejo adecuado o inadecuado del mismo tiene mucho que ver en los síntomas que se presentan. Su propuesta relaciona el miedo con los riñones, el afecto con el bazo-páncreas, la tristeza con los pulmones, el enojo con el hígado y la alegría con el corazón. Hace algunos años un querido amigo y excelente médico especialista en Medicina Tradicional China y yo creamos un taller que se llama: "Del síntoma al Sentimiento" que no es otra cosa más que enseñarle a las personas a aprender a escuchar sus síntomas y a contactar con su mundo emocional a través de ellos, así como a detectar qué sentimiento es el que tienen más dificultad de contactar para prevenir los posibles síntomas que se puedan presentar. Existe mucho material en el mercado que presenta diferentes propuestas para tratar de entender estar conexión cuerpo-mundo emocional señal de que es básica una comprensión más profunda.

Los riesgos en esta área: la dependencia o el aislamiento afectivo. Ambos nos conducen a la soledad y al establecimiento de relaciones tóxicas.

Cuando no estamos en nuestro centro vamos a buscar el centro en alguna otra parte fuera de nosotros; cuando esto ocurre tenemos una tendencia importante a caer en dependencia; dependiendo del nivel de vulnerabilidad y de lo profundo de nuestras necesidades emocionales insatisfechas va a ser el grado de dependencia que se establezca; a mayor pérdida de nosotros mismos, mayor va a ser el "agarre" afectivo que establezcamos con otra persona viviendo la amenaza de ruptura como una verdadera amenaza de muerte lo que puede llevar a la persona a presentar conductas increíblemente viscerales y regresivas.

Por otro lado, el aislamiento afectivo se puede establecer como una manera inconsciente de evitar caer en la dependencia pero de igual manera no permite el establecimiento de relaciones sanas por lo que, a largo plazo, provocará en la persona una sensación importante de vacío y soledad e insatisfacción.

d. Área social

Como ya vimos, somos seres sociales por naturaleza y necesitamos estar insertos en un contexto. Es el ámbito en donde compartimos menos intimidad, por lo tanto somos capaces de relacionarnos con más personas. El intercambio con nuestro entorno no sólo es útil sino necesario para un buen desarrollo e indispensable para la supervivencia. Esta área puede verse limitada en personas con tendencia al aislamiento o sumamente desarrollada en personas que viven tratando de cubrir las expectativas de un grupo social o de una comunidad específica.

La sociedad nos conforma y deforma al mismo tiempo. Es básico tomarla como referencia, y no como guía, ya que ésta es una sociedad enferma que contamina y aliena. Más que ser tomada como guía, necesita ser atendida y sanada.

Los riesgos en esta área: sometimiento o conductas antisociales. La desadaptación o inadecuación son algunas de las consecuencias del desequilibrio en esta área.

Por sometimiento me refiero a la conducta de aceptar o condescender con situaciones sociales con las que no se está de acuerdo por temor; aunque el temor puede variar de intensidad, generalmente el origen es el mismo: miedo al rechazo. Por otro lado las conductas antisociales son una manera, en ocasiones patológica, de manifestar la inconformidad y, aunque pareciera todo lo contrario, también están basadas en el miedo. Recordemos la máxima que menciona que la intensidad del ataque es proporcional a la intensidad del miedo.

e. Área mental

La mente es una selva llena de misterios que puede convertirse en nuestra gran aliada o nuestra peor enemiga. Es ahí donde establecemos contacto con aquellos que comparten nuestras ideas y puntos de vista; con aquellos con los que podemos intercambiar conceptos y cualquier producción mental que generemos. Es un área que puede verse sumamente desarrollada como compensación de las limitaciones de las demás áreas.

La mente, decía Fritz Perls, es la prostituta de la personalidad porque se vende por cualquier idea. Si bien esto es cierto, también puede convertirse en una gran aliada que nos ayude a mantener la claridad de los conceptos que nos llevan a la congruencia. La reconciliación de la mente con los sentimientos es la clave de la congruencia, así como su divorcio o separación es el origen de la incongruencia. No podemos estar disociados. Somos una totalidad, una gestalt maravillosa en la que cada parte cumple una función específica.

Dejar la vida en manos del área afectiva es tan caótico como dejarla en manos de la mente. Es importante aprender a sentir lo que pensamos, para darnos cuenta cómo nos autogeneramos ciertos estados; y a pensar sobre lo que sentimos, para tratar de encontrar el sentido y origen de nuestros sentimientos. Aunque para algunos esto pueda sonar antigestáltico, no lo es en absoluto, ya que la experiencia propia de cada área se da por separado y simplemente se integran a la hora del proceso. Somos un todo y pretender anular una parte nuestra es mutilar nuestro caminar. Tengamos eso presente.

Los riesgos en esta área: la intelectualización y el narcisismo intelectual.

En los talleres de ego que imparto, propongo un ejercicio muy interesante: que cada uno diseñe su propia estrella en función de qué tan desarrollada se encuentra cada una de las áreas en ese momento de su vida. Indiscutiblemente, si somos realmente honestos, resultarán estrellas bastante desproporcionadas, o al menos desequilibradas, lo cual ya nos da una idea de en qué partes necesitamos trabajar. Te propongo que, antes de seguir adelante, te detengas un momento a analizarte y crear tu propia estrella, porque hallarás respuestas interesantes.

f. Dinámica: explorando tus áreas

Éstas son algunas preguntas que pueden ayudarte a explorar y determinar el tamaño y proporción de cada uno de los picos de tu estrella.

Área física

1. ¿Qué tanta atención le pongo a mi cuerpo?
2. ¿Cuido mi alimentación y mi descanso?
3. ¿Le doy movimiento y lo ejercito frecuentemente?
4. ¿Soy consciente de mis síntomas y los atiendo en cuanto aparecen?
5. ¿Estoy centrado en la belleza exterior de mi cuerpo o en su salud?

Área espiritual

1. ¿Me considero afortunado por estar en este universo?
2. ¿Me regalo momentos de silencio y reflexión que me permitan detener el ruido exterior?
3. ¿Agradezco más de lo que pido o espero?

4. ¿Soy consciente de que estoy en este universo para cumplir una misión?
5. ¿Creo en la existencia de un ser superior o de una energía creadora y me contacto con ella?

Área afectiva

1. ¿Existe una proporción entre lo que siento por dentro y lo que expreso hacia afuera?
2. ¿Me permito establecer relaciones profundas, de intimidad emocional, compartiendo mis sentimientos?
3. ¿Tengo claridad de lo que siento?
4. ¿Me considero selectivo en mis contactos íntimos?
5. ¿Tengo la sensación de equidad en mis relaciones interpersonales significativas?

Área social

1. ¿Me considero parte activa de mi sociedad y mi entorno?
2. ¿Me permito proponer alternativas y desarrollar estrategias para mejorar mi comunidad (trabajo, colonia, etcétera)?
3. ¿Soy consciente de que lo que hago tiene una repercusión y un efecto en las personas que me rodean?
4. ¿Me doy cuenta de que mi paso por este mundo no es una mera cuestión accidental, sino que mi presencia ha marcado diferencias sociales?
5. Ante un momento de decisión, ¿busco lo mejor para la comunidad o me centro en mis necesidades personales?

Área mental

1. ¿Valoro y valido mis puntos de vista?
2. ¿Estoy abierto al intercambio de opiniones aunque de entrada no esté de acuerdo?
3. ¿Me permito exponer mis ideas sin temor a la crítica y estar abierto a la retroalimentación?

4. ¿Mis pensamientos son flexibles sin llegar a ser volátiles?
5. ¿Me permito relacionarme aun con aquellos que no estén de acuerdo conmigo?

Una vez evaluada cada área, te sugiero que dibujes tu propia estrella para que obtengas una "foto" de tu estar en el mundo en este momento. Mientras más prominente sea una de las puntas de la estrella, mayor energía estará centrada ahí; y mientras menor sea, nos indicará que existe una mayor limitación en esa área, por ahora. No significa que siempre haya sido así o que así tenga que permanecer. Solamente es un diagnóstico de tu aquí y ahora en el mundo de manera general y sin caer en ningún rigorismo. Recuerda que es sólo una propuesta de autoexploración.

Te pongo un ejemplo:

Esta estrella nos estaría hablando de una persona sumamente centrada en su cuerpo, debido quizá a un narcisismo físico o una hipocondriasis severa con muy poca vida espiritual. Además, se observa una limitada forma de relacionarse afectivamente, lo que indica que sus relaciones interpersonales no son muy satisfactorias, ya que está más centrada en el qué dirán y en dar gusto a los demás que en atender sus propias necesidades. Es probable que trate de racionalizar su hacer y su estar en el mundo, seguramente con argumentos muy convincentes para sí misma, debido a que su área mental se encuentra bastante desarrollada como una manera de compensar su limitada vida tanto espiritual como afectiva. Esto me lleva a pensar en sentimientos de vacío, soledad e inadecuación afectiva que pueden estar suficientemente compensados con un hacer exitoso y aparentemente satisfactorio.

Es así como el personaje (ego) toma el control y desarrolla las estrategias de compensación de las que hablábamos anteriormente y se manifiesta en el mundo con más fuerza cada vez que la persona toca sus partes vulnerables. Es decir, si el personaje se caracteriza por ser un intelectual, se volverá más intelectual cuando entre en terrenos afectivos o espirituales y tratará de dar una respuesta lógica y congruente a todo para mantener el control de su limitación. La mente le contará el cuento de que está en lo cierto y que no tiene sentido profundizar en los sentimientos o que la experiencia espiritual es completamente innecesaria. Se sentirá tranquilo, porque finalmente se queda en su zona de seguridad, pero no será feliz. Habrá un vacío interior que tarde o temprano se hará manifiesto, ya sea a través de una depresión, algún síntoma físico o la pérdida del sentido de vida.

Ésta es la forma en que hago un análisis de lo que puede estar sucediendo más allá de lo que parece estar sucediendo. Recordemos que una cosa es la historia que nos cuenta nuestro personaje regido por el ego y otra muy diferente lo que está viviendo nuestro ser interno en contacto con la esencia.

Ahora cuentas con una herramienta más. ¿Qué te dice de ti? ¿Tiene sentido este diagrama? ¿Se relaciona con lo que estás viviendo? Medita un poco y encontrarás las respuestas, porque éste es apenas el inicio del camino.

[illegible]

[illegible] su [illegible]

[illegible] satisfacción.

La ausencia [illegible] las estrategias de [illegible] marginados [illegible] que la acción [illegible] de la [illegible] el control de la información [illegible] en su [illegible]

[illegible] en [illegible] la [illegible]

[illegible]

3
Conciencia y responsabilidad

En Gestalt hablamos de dos conceptos que no pueden existir el uno sin el otro: conciencia y responsabilidad.

> **Conciencia** se refiere a darme cuenta de mi **estar** en el mundo, más que de mi hacer.
> **Responsabilidad**, por lo tanto, se refiere a darme cuenta y asumir las consecuencias de mi **hacer** en el mundo.

Mi misión como psicoterapeuta gestáltica no es promover la responsabilidad, sino trabajar en la ampliación de la conciencia, porque una vez que veo mi inserción en el mundo con otros ojos, el panorama cambia y no volvemos a ser los mismos. Entonces podemos hablar de que empezamos a tomar o asumir la responsabilidad de nuestra propia vida, independientemente de la edad cronológica que tengamos. El cliché "Asumo mi responsabilidad", usado en Gestalt, me parece sumamente riesgoso, porque puede llegar a convertirse en un escondite perfecto para la evasión del contacto y de la verdadera responsabilidad. No siempre que pretendemos asumir la responsabilidad de algo estamos preparados para ello.

Tipos de conciencia y niveles de responsabilidad

No podemos ser responsables si no somos conscientes, ya que, como mencioné anteriormente, la conciencia es la base de la responsabilidad.

Yo propongo 3 niveles o tipos de conciencia:

a. Conciencia de unidad
b. Conciencia de contacto
c. Conciencia de trascendencia

Sobre los cuales desarrollamos 2 tipos de responsabilidad:

d. Responsabilidad de relación
e. Responsabilidad de acción

Estos conceptos se relacionan directamente con el desarrollo de las áreas ya descritas. Vayamos paso a paso:

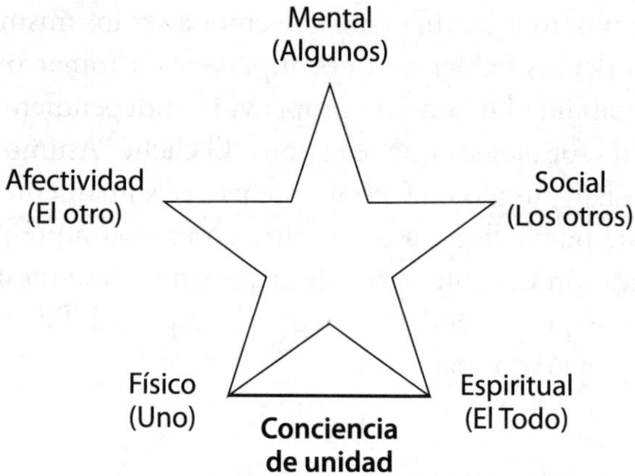

a. Conciencia de unidad

Es la base del estar en el mundo de cualquier ser humano, porque es la base sobre la cual estamos parados. Si soy consciente de que tengo una existencia individual como organismo vivo, que tengo un cuerpo único e irrepetible y que al mismo tiempo formo parte de un Todo que se manifiesta en mi unicidad, mis dos pies se encuentran en el suelo; "Estoy parado sobre mis propios pies", como decimos en Gestalt. Así, el caminar, aunque difícil como parte de la vida misma, no será vivido en soledad, ni habrá tendencia a caer en un sinsentido. Únicamente desde ahí se puede establecer un vínculo que soporte la existencia; no sólo que la haga llevadera, sino que le dé un sentido.

Si no hay una conciencia de unidad o se tiene una conciencia relativa, nuestra percepción será fragmentada, lo que originará un sentimiento de separación, soledad y vacío.

Aquí vale la pena detenernos a pensar que si no restablecemos el vínculo con nuestra espiritualidad, podrán modificarse los patrones de comportamiento, pero no se dará la resolución total de la pauta existencial.

El regresar a la espiritualidad y al contacto real con nuestro cuerpo es la única forma de mantener un equilibrio en nuestro interior. Podremos enfrentar dificultades de relación o de cualquier otro tipo, pero siempre tendremos la certeza de poder con ellas y la sensación de no estar solos ni perdidos en el universo porque nuestra base está firme. No nos evita el dolor, sino que nos da la fortaleza necesaria para enfrentar lo inevitable.

Las antiguas tradiciones indígenas nos hablan del reencuentro con el Gran Espíritu a través del cuerpo. Nos invitan a buscar en el lugar correcto —que es dentro de nosotros mismos—, a entrar en contacto con la naturaleza y a aprender a confiar en que cada evento de nuestra vida es una lección que nos permitirá ser más completos si rescatamos el aprendizaje. Cuerpo y espíritu no pueden estar separados; podrá haber distancia entre ellos, pero jamás estar desvinculados. Ésa es la realidad de nuestra naturaleza. En este vínculo se encuentra la fuerza y la certeza que necesitamos para vivir y sobrevivir nuestra historia.

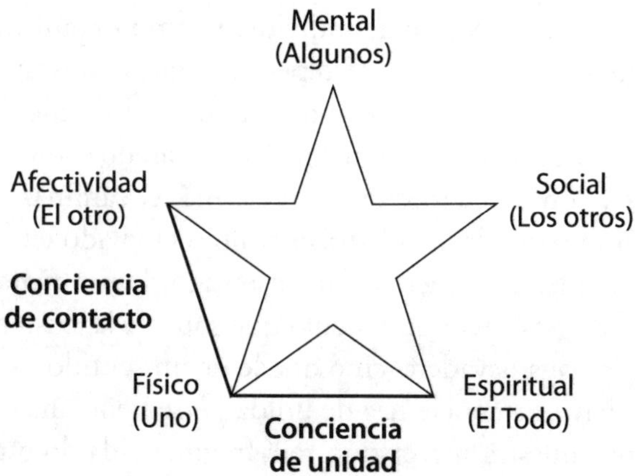

b. Conciencia de contacto

Si decimos que el cuerpo es el vehículo de manifestación de nuestra esencia y de nuestra individualidad y que es la única manera que tenemos de expresarnos con aquellos que elegimos, entonces desarrollamos este nivel o tipo de conciencia. Es mediante el cuerpo que podemos abrazar, tocar, sentir al otro que se encuentra más allá de nuestra piel, y entonces nos damos cuenta de que el cuerpo es un vehículo de contacto.

Una vez que tomamos esta conciencia, nos volvemos infinitamente más selectivos con aquellos con quienes decidimos compartir esta intimidad, porque nos damos cuenta del intercambio energético que se da en un encuentro físico; a mayor intimidad, mayor intercambio.

El permitirnos un encuentro inconsciente nos puede llevar a tener desde un dolor de cabeza hasta una sensación de impureza o incomodidad. ¿Cuántas veces la cercanía física de una determinada persona nos hace sentir malestar y necesitamos poner distancia de por medio? A todos nos ha pasado. Sin embargo, si no somos conscientes de la gran importancia de ser selectivos con nuestra intimidad corporal y energética, estaremos cayendo en una promiscuidad de contacto que nos llevará a una sensación de incomodidad y, en ocasiones, hasta de intoxicación. El conocido "marcaje de límites" empieza desde aquí, y para hacerlo adecuadamente, necesitamos ser conscientes de lo valioso de nuestra energía y de lo sagrado de nuestro cuerpo.

El tener un contacto tóxico no significa que la persona con quien establecemos el contacto sea tóxica en sí misma: mucho cuidado con los juicios. Un contacto de este tipo quiere decir que, en este momento de mi vida, mi cercanía con esa persona no es nutricia para mí. Probablemente la misma persona pueda ser profundamente nutricia para alguien más, pero no para mí en mi aquí y en mi ahora.

Cuando hablo de tóxico y nutricio, no estoy poniendo etiquetas a lo que está afuera. Simplemente me estoy refiriendo a la experiencia individual que pueda tener una persona en un contacto específico. De la misma manera, podemos ser nutricios para alguien y tóxicos para otros. Recordemos que la relación es el producto resultante del encuentro entre dos personas independientes. Lo que es tóxico o nutricio es este producto resultante.

Al desarrollar la conciencia de contacto, el mundo de nuestras relaciones se aclara y limpia porque empezamos a marcar límites. Si una persona ha desarrollado un mayor nivel de intimidad, la cantidad de relaciones que establezca será menor. Por el contrario, una persona con muchas relaciones en esta área nos dejará ver que el nivel de intimidad que establece en sus relaciones no es profundo, ya que es imposible tener muchas relaciones de profundidad al mismo tiempo.

Es necesario desarrollar la selectividad de contacto, ya que lo que compartimos es lo más valioso que tenemos: nosotros mismos. Necesitamos asegurarnos que ese tesoro estará en buenas manos, será apreciado, valorado y cuidado como lo que es: un espacio sagrado.

Decir "**No**" oportunamente o romper a tiempo una relación que está empezando a volverse tóxica, es la mejor forma de respetarnos y darnos la oportunidad de encontrar el tipo de relación que verdaderamente merecemos.

c. Conciencia de trascendencia

Cuando me doy cuenta de que, mediante el contacto espiritual con el Todo, formo parte de un plan maestro y que todo lo que hago al estar inserto en una sociedad tiene un impacto que nadie más puede producir excepto yo mismo, entonces se genera este nivel de conciencia. Esto ocurre cuando tomo conciencia de que no soy un ente aislado sino que formo parte de una totalidad y, como tal, estoy en una sociedad dentro de la cual tengo una misión que únicamente yo puedo llevar a cabo debido a mis características individuales como ser único, irrepetible e insustituible que soy.

Cuando hablo de misión, no me refiero a misiones como las de Gandhi, el Maestro Jesús o la Madre Teresa. Una misión sumamente trascendente puede ser sonreírle a alguien en la calle, porque no sabemos si con eso le estamos regalando la esperanza que le hacía falta a ese ser humano para seguir adelante ese día. Nuestra misión no tiene que ser universalmente reconocida. Eso no le quita lo heroico. Una madre que dedica su vida al servicio de sus hijos es igualmente heroica que aquel que muere en batalla defendiendo sus ideales. Probablemente, nunca recibirá una medalla de honor, pero ver a sus hijos siguiendo sus caminos será suficientemente satisfactorio para ella.

Yo me pregunto: ¿quién tiene más trascendencia? ¿Aquel que promueve los cambios de manera directa o aquellos que participaron en su formación como ser humano? Cuando hablo de misión de vida, no subestimemos la cotidianeidad, porque sobrevivir la cotidianeidad es una forma más que heroica de vivir la vida, aunque no se le reconozca con bombos, platillos ni medallas.

Cuando nos damos cuenta y tomamos conciencia de que estamos aquí y ahora llevando a cabo una misión que nadie más que yo puede realizar –aunque no tengamos claro cuál es– eso cambia nuestro estar en el mundo, porque sabemos que también somos protagonistas de la historia.

La trascendencia es una necesidad inherente en el ser humano. De ésta proviene tanto hacer. Queremos que se nos recuerde, dejar huella, dejar algo. Es una necesidad presente en todos, aunque algunos no la reconozcan como tal. Si finalmente tenemos esta necesidad, ¿por qué no atenderla con más conciencia? La verdadera trascendencia se logra cuando la individualidad de un ser humano se expresa en toda su totalidad, porque jamás habrá nadie igual. Si nos damos cuenta, ya somos trascendentes en nosotros mismos, porque jamás habrá nadie igual, pero no somos conscientes de ello.

Simplemente siendo nosotros mismos tenemos asegurada la trascendencia. ¿Suena demasiado sencillo? Créeme que es una de las cosas más complicadas, porque es una batalla que requiere estar alerta todos los momentos de todos los días de nuestra vida. Y vale la pena el intento.

Una vez que se han desarrollado estos niveles de conciencia, se está en posibilidad de empezar a asumir la responsabilidad de la propia vida. El nivel de responsabilidad siempre será proporcional al nivel de conciencia. Por lo tanto, mientras más conciencia de unidad, de contacto y de trascendencia exista, mayor capacidad de responsabilidad se adquiere.

Entremos ahora al terreno de la responsabilidad.

d. Responsabilidad de relación

Surge una vez que tomo conciencia de contacto y me doy cuenta de que este contacto se matiza con ideas a través de las cuales puedo establecer un estilo y una forma de relación. Es entonces cuando estoy en posibilidad de hacerme responsable del tipo y calidad de las relaciones que elijo; del tipo de relaciones que promuevo y de cómo las he venido matizando con mi historia de vida. Dejo el papel de víctima de la suerte y me convierto en autor responsable de las relaciones de mi vida. Mientras no lo sea, el ego actuará dejando que el personaje sea el que lleve el control y se relacione seduciendo a los demás con las herramientas compensatorias y manipuladoras que ha venido puliendo a lo largo de su vida.

Es más cómodo culpar a la suerte, al destino o a los demás por las relaciones tóxicas, dañadas o insatisfactorias que asumir la responsabilidad que nos corresponde, porque, si así lo hiciéramos, nos sentiríamos culpables. Culpa y responsabilidad son dos cosas totalmente diferentes. Por desgracia, se nos ha enseñado a sentirnos culpables de lo que hacemos más que a ser responsables de ello. De aquí que el asunto se complique tanto.

La responsabilidad no tiene que ver con la culpa, que es un sentimiento neurótico proveniente de la evaluación externa que introyectamos. Es decir, nos culpamos de aquello que nos culparían los demás si supieran lo que hicimos y nos autocastigamos por ello.

La responsabilidad, por el contrario, se refiere a la conciencia de acción, sin juicios de valor y sí con apropiación de las consecuencias. El apropiarnos de las consecuencias de nuestras acciones nos permite hacer algo al respecto desde una perspectiva clara, objetiva y útil tanto para los demás como para mí mismo, rescatando los aprendizajes de la experiencia.

La culpa simplemente nos llevará a tratar de hacer que los demás se sientan bien, como una manera de expiar el "pecado" que cometimos, aunque vayamos en contra de nosotros mismos. De este modo no se asume ninguna responsabilidad, porque no hay conciencia de nada más que del malestar que ocasionamos y del miedo que tenemos a perder el afecto de aquellos a quienes lastimamos.

Mientras tengas miedo a perder el afecto de alguien, nunca te sentirás verdaderamente querido por esa persona, así que no puedes perder nada que valga la pena. Deja ir de tu vida todo aquello que ocupa un lugar innecesario, para que tengas más espacio para lo que verdaderamente elijas desde la conciencia y no lo que aceptes desde la circunstancia.

Sería maravilloso que pudieras elegir desde la conciencia a alguien que ha llegado a tu vida circunstancialmente, mas no siempre es así. A veces tenemos que eliminar lo que cómodamente nos ha llegado circunstancialmente, para salir al encuentro de lo que elegimos tener en nuestra vida, aunque nos tome tiempo encontrarlo. Si existe en tu interior, ten por seguro que existe en el exterior. Todo es cuestión de serenidad y claridad para buscarlo y reconocerlo. Vale la pena y tú te lo mereces.

Los "mientras tanto", como les llamo yo, sólo nos distraen, porque entorpecen nuestra búsqueda y nuestra claridad. Ten cuidado con esa trampa del ego. Siempre es más dolorosa la soledad en compañía y eso surge del conformismo. No te conformes: arriésgate una vez que tengas claro lo que necesitas. Únicamente tú sabes lo que le está haciendo falta a tu vida en este momento, así es que sólo tú puedes encontrarlo.

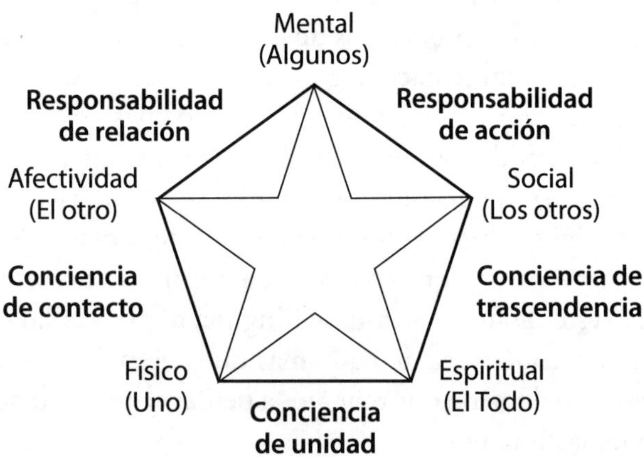

e. Responsabilidad de acción

Surge una vez que tomo conciencia de que estoy inserto en una sociedad y que esa inserción se matiza por mis ideas, conceptos, proyectos y sueños. Estoy entonces en posibilidad de asumir la responsabilidad de mi hacer en el mundo y de las consecuencias que este hacer trae para mí y para mi entorno, entendiendo por "hacer" todo lo que se genera a partir de mi estar en el mundo. Mientras no desarrolle la conciencia de trascendencia y no asuma la responsabilidad de mis acciones, mis conductas serán impulsivas y reactivas y no tendrán ningún otro parámetro más que las expectativas insatisfechas de mi ego, y mi hacer en el mundo estará basado en ellas.

Éste es el diagrama de un ser consciente y responsable en equilibrio. Una realidad posible de alcanzar si vencemos esa barrera de "lo imposible" que nos dicta el ego, ése que nos mantiene atrapados en el miedo a fallar o a no ser lo suficientemente capaces de lograr la felicidad y el equilibrio eventuales en nuestra vida. Digo "eventuales" porque el equilibrio y la felicidad permanentes sólo se logran en esquemas como éstos. La vida es un movimiento continuo y en ello radica su belleza.

∽4∽

El personaje

La verdadera travesía comienza cuando termina el autoengaño.

Imaginemos a nuestra esencia y al ego en un movimiento constante. Jugando con la fantasía, imaginemos que las líneas oscuras son barreras que si no se encuentran lo suficientemente fuertes, se volverán permeables y débiles, y más que estar al servicio de la esencia, se hallarán al servicio del ego.

Entonces nos encontraríamos con los diagramas que siguen: en el primero, nuestra vida estaría al servicio de la esencia; en el segundo, al servicio del ego, con las consecuencias que se indican:

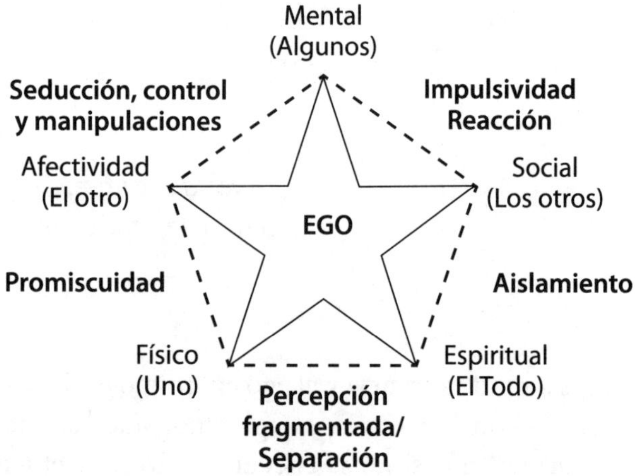

Las conductas desarrolladas por el ego van en función del estilo de personaje que hemos creado y son formas múltiples y variadas. El personaje se va puliendo y sofisticando en la medida en que las viejas estrategias dejan de funcionar. O bien, llega un momento en la vida en que, por diversas circunstancias, esa armadura se rompe y entonces tenemos la oportunidad de entrar en un contacto real y verdadero con nuestra esencia. Aquí nace la posibilidad de un cambio existencial que nos lleve a una vida más plena y completa.

Revisemos más detenidamente las consecuencias de dejar en manos del ego cada una de estas áreas.

a. Separación o pérdida de sentido

Quizá uno de los riesgos más dolorosos de este caminar en el personaje es la pérdida de sentido que nos lleva a caer en un vacío estéril. La pérdida de sentido de la vida es perder el rumbo, el para qué. Es perder la certeza de que las cosas pasan por algo y que cada evento de nuestra vida tiene algo que enseñarnos, por difícil o doloroso que sea.

Una de las manifestaciones de esta pérdida de sentido puede ser la autosuficiencia, que, para mí, es otra trampa del ego, pues autosuficiencia no es lo mismo que independencia. Por lo general, los autodenominados autosuficientes son sumamente dependientes. La independencia es diferente: no dependo de los demás para vivir mi vida, pero eso no significa que no los disfrute. El autosuficiente no se permite disfrutar a los demás porque se ha contado el cuento de que "no necesita a nadie". El independiente no: él los disfruta; y aunque no depende, se permite recibir e incluso pedirles cosas a los demás, porque no tiene temor a quedar atrapado en una relación, como el autosuficiente.

La separación de esa conciencia de unidad nos lleva a sentirnos solos y aislados. Las personas que viven así son propensas a la depresión y a las crisis de ansiedad, porque se sienten a la deriva, sin un rumbo fijo ni claridad en sus metas. Pueden tratar de ahogar estos sentimientos mediante diferentes estrategias y las conductas compulsivas o adictivas son las más comunes.

b. Promiscuidad

Si no tenemos conciencia de contacto, la frontera del contacto se encuentra debilitada: perdemos la capacidad de discriminar y seleccionar. Ya hablamos de los contactos tóxicos y nutricios. La promiscuidad surge cuando perdemos la capacidad de ser selectivos en nuestros contactos y vamos de un encuentro a otro. No ponemos límites en nuestros contactos afectivos y descuidamos nuestros encuentros físicos, ocasionando así una sobresaturación.

Si no discrimino y selecciono a quién abrazo, con quién me acuesto, con quién paso 10 minutos o con quién paso 2 horas, esa energía se va a ver intoxicada. Se pierde la capacidad de marcar límites, por miedo a perder las relaciones. Recordemos que el ego se alimenta del miedo y que éste nos cuenta historias de terror acerca de lo que puede pasarnos si somos auténticos. La mayoría de nosotros sabemos en qué momento necesitamos marcar límites, pero no lo hacemos por miedo al conflicto o inclusive a la pérdida del otro y preferimos atentar contra nosotros mismos, contra nuestra esencia, en vez de correr el riesgo de sacar de nuestra vida algo que tarde o temprano nos lastimará.

Si alguien se va de tu vida porque le marcas un límite, créeme que te estás ahorrando muchas horas de sufrimiento innecesario, porque si una persona no está preparada para que le pongan límites, significa que su intención consciente o inconsciente es de invasión y control. ¿Para qué necesitas a alguien así a tu lado? Mientras más pronto empieces a empoderarte y a marcar los límites en tu vida, más pronto descubrirás quién está preparado para compartir tu camino y quién no.

Los "cómos" aquí son básicos, ya que para que el marcaje de un límite funcione, debe darse desde el amor, no desde el enojo. Cuando estamos enojados, lo que hacemos es defendernos y contraatacar pasiva o activamente. Cuando marcamos un límite desde el amor, estamos estableciendo una barrera de autocuidado y, al mismo tiempo, dando al otro la posibilidad de relacionarse con nosotros de una manera más sana. Si la toma o la deja, es su decisión y nada podemos hacer al respecto. El principal reto a vencer es el miedo a la pérdida.

Desgraciadamente, en ocasiones las personas esperan hasta que las circunstancias de la relación lleguen demasiado lejos para marcar límites. Cuando alguien ha sufrido mucho maltrato de diferente tipo o por distintas causas, sus umbrales tanto de dolor como de autorrespeto son muy altos, lo que le lleva a reaccionar ante una agresión sólo cuando ésta es lo suficientemente fuerte como para sacudirlo. Esto ya no es un límite, sino una reacción de supervivencia. Un límite se establece precisamente para evitar llegar a estos niveles o estilos tóxicos de relación que atentan contra el respeto del ser humano en cualquier área de su vida.

Ten presente que cualquier contacto que te haga sentir incómodo acerca de ti mismo es un contacto tóxico. Si te sientes mal frente a una persona porque hay algo en ella que te avergüenza de ti, detente, analiza y decide. No dejes que esto avance, porque el precio del dolor es muy alto.

C. AISLAMIENTO

Si no tenemos conciencia de trascendencia, nos sentimos aislados, totalmente inútiles en el mundo. A lo mejor voy, hago mi trabajo todos los días, pero sin ningún sentido más que el de supervivencia. Recuerdo a un paciente que trabajaba en la Oficina de Correos clasificando las cartas por zonas para que fueran distribuidas. Ése era su trabajo y ahí se le había pasado la vida (llevaba más de 30 años en él). Cuando le pregunté a qué se dedicaba, me dijo: "Al trabajo más aburrido del mundo: separar las cartas para que las entreguen. Pero no sé hacer otra cosa y ya tengo mucha edad". Lo escuché y le dije: "¿Se da cuenta de lo trascendente del trabajo que hace?". "No. ¿Qué tiene de trascendente?". "¿Se da cuenta de cuántas cartas de una madre a un hijo, cuántos contactos entre familias, cuántas noticias importantes y cuántas cosas maravillosas han pasado por sus manos? ¿Y que si usted no hubiera puesto esa carta en el cajón adecuado, si no hubiera hecho la separación correcta de esa noticia, ese mensaje, esas palabras nunca hubieran llegado?". El hombre empezó a llorar y me dijo: "Jamás me había dado cuenta de eso".

Se nos olvida la trascendencia de cada uno de nosotros en nuestro hacer cotidiano; no tenemos que estar parados ante un micrófono, no tenemos que tener una función social prominente. Si una persona se encuentra con alguien al que le sonríe y le dice "Buenos días", no sabe si con eso le cambió la vida. Ésa es la conciencia de trascendencia. Si no tenemos eso, entonces nuestra vida parece inútil y desmembrada, como la de ese paciente que lloró más de media hora en la sesión, se paró y me dijo: "Gracias". Jamás lo volví a ver. Ese momento, el ver la expresión de su rostro cansado lleno de luz, es una de las imágenes más lindas que recuerdo. Porque ahora no estaba separando cartas: ahora estaba siendo un vehículo de contacto entre gente que lo necesitaba, que necesitaba de sus manos y de su cuidado.

Con este ejemplo queda claro que lo importante no es cambiar el hacer, sino el desde dónde lo hago. Ése es el contacto con la parte interna. Ése es el regreso a casa.

d. Seducción y control

Si no tengo responsabilidad de relación, caeré en juegos de seducción únicamente para satisfacer la vanidad personal; utilizaré las herramientas que estén a mi alcance para manipular y controlar las relaciones. Si no tengo conciencia de contacto, obviamente no puedo desarrollar una responsabilidad de relación. Si cualquiera cree ser responsable de sus relaciones sin tener conciencia plena del contacto con su cuerpo y, a través de él, con su espiritualidad, está en un error y siguiendo el guión que le dicta su personaje.

Imaginemos que este pentagrama es un edificio. Si su base no está firme y bien estructurada, no le podemos poner techo, porque se viene abajo. Así de sencillo. O ponemos un techo frágil que finalmente se va a caer cuando venga un movimiento fuerte que sacuda la estructura. El personaje desarrolla herramientas de seducción para mantener el control.

Recuerdo a una paciente de 40 años, muy cuidada físicamente, bellísima, un maniquí. Llegó por una depresión crónica y en una sesión me dijo: "Yo soy lo que el hombre con quien estoy quiere que sea. Yo me doy cuenta cuando él quiere que yo sea intelectual. Soy muy inteligente, puedo hablar de cualquier tema, porque leo mucho. Si salgo con otro al que le gusta una mujer divertida, aprendí a bailar salsa y además bailo muy bien. Si a otro le gusta...". Era una mujer camaleón. Maravillosa en el sentido de toda la inversión que había hecho en su personaje, pero con una soledad y un vacío profundos.

Quién se iba a imaginar que esa mujer tan bella, que tenía hombres para escoger a su alrededor, pudiera sentirse tan sola y tan vacía, pues no se estaba relacionando desde dentro. La relación entre su cuerpo y su espiritualidad se encontraba totalmente distante. Ella estaba muy centrada en su cuerpo. Aparentemente lo cuidaba mucho, pero para utilizarlo como herramienta de seducción y control de los demás. Cuidar del cuerpo no significa ser esclavos de su belleza, y tener un cuerpo bello no es sinónimo de alta autoestima. En muchas ocasiones, es más bien una actitud narcisista de compensación ante sentimientos de insuficiencia. Un cuerpo realmente bello es un cuerpo sano.

e. IMPULSIVIDAD

Finalmente, si no somos responsables de nuestras acciones, vamos a actuar de manera impulsiva y daremos más reacciones que respuestas. Una reacción proviene del impulso; una respuesta proviene del análisis.

Si estoy en contacto con mi esencia, eventualmente se presentarán conductas del ego y el personaje va a manifestarse, pero ya no toma el control permanente y podemos estar más alertas de su actuar. De hecho, el reto, como mencioné anteriormente, es poner el personaje al servicio de la esencia para así lograr la manifestación de nuestra esencia en su totalidad. Al haber una reconciliación entre la esencia y el ego, la congruencia se da por añadidura.

Retomemos el ejemplo de la dinámica que se propopuso al inicio:

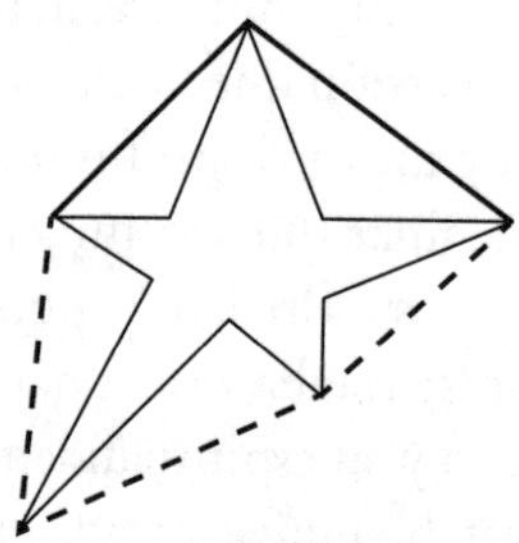

Aquí se observa lo inestable de la base de esta persona y cómo su soporte principal se encuentra en el cuerpo. Al mismo tiempo, podemos darnos cuenta de cómo sus cimientos –es decir, sus niveles de conciencia, representados por las líneas punteadas– se hallan totalmente deformados. Paradójicamente, las líneas de la responsabilidad no parecieran estar tan mal. Esto nos habla de una persona que aparenta estar en equilibrio y que incluso puede verse como alguien maduro y responsable desde el exterior. Sin embargo, un diagrama así nos habla de un individuo con un interior bastante frágil que puede hacer que toda la estructura de su personalidad se mueva fuertemente ante cualquier evento que se salga de su control racional.

5
El autoengaño: un camino pantanoso

Hablar de autoengaño es todo un reto; es intentar verse en un espejo humeante, entrar al área pantanosa de la conciencia e intentar ser juez y parte al mismo tiempo, un recorrido bastante difícil y complicado para realizarlo solo, sin duda, debido a la diversidad de "habitantes" que se encuentran ocultos en los distintos parajes de nuestra conciencia. Sin embargo, el realizar este recorrido acompañado puede volverse una verdadera aventura e incluso llegar a ser divertida. Confío en que el recorrido que nos espera juntos a través de estas líneas sea tan interesante para ti como lo ha sido para mí a lo largo de mi vida y de la redacción de este capítulo en particular.

No es ningún secreto la capacidad de creatividad del ser humano y se ve plasmada en todas y en cada una de las obras que nos rodean, arquitectónicas, literarias, culinarias por nombrar sólo algunas pero para mí como psicoterapeuta es verdaderamente impactante y digna de reconocimiento la creatividad que tenemos para contarnos historias, crear personajes, modificar hechos o añadir eventos que nunca sucedieron y darlos como reales; tan impactante que verdaderamente creo que si usáramos toda esa creatividad en ubicarnos y mantenernos en nuestro presente y asumir la conciencia de nuestra vida seríamos los seres más equilibrados del planeta, pero ésa, claro, también es una fantasía.

¿Por qué nos contamos tantos cuentos? ¿De dónde provienen tantas historias? ¿Qué nos lleva a engañarnos en lugar de estar en contacto permanente con nuestra esencia?

Para todas las preguntas anteriores existe una sola respuesta: EL MIEDO

El miedo en sus diversas manifestaciones y formas; miedo a no ser lo suficientemente bueno, al rechazo, a no ser querido, a no ser apreciado, al fracaso, al dolor, etcétera. A menos amor mayor miedo, pues el que no llena su vida y su ser de amor lo llena de miedo y de historias para justificar, maquillar, adormecer o bloquear su existencia como veremos más adelante.

Mientras más miedo tenemos, más necesario se hace el autoengaño; es necesario recurrir a estrategias y artificios que nos mantengan resguardados de nuestra crítica y de nuestro propio rechazo o poca aceptación hasta llegar a dar por cierta la existencia de un personaje que diseñamos a lo largo de nuestra historia y que aunque nos proporciona muchas cosas, jamás nos dará la felicidad.

Aprendemos a engañarnos y a engañar cuando descubrimos que no siempre somos queridos y aceptados en el mundo, pues en la medida en que un ser humano crece en un ambiente en donde se le condiciona el afecto y/o la aceptación a una ejecución más que a una existencia, en esa misma medida será su tendencia a contar y contarse historias que justifiquen su ser y su hacer en el mundo de manera que pueda sentirse más querible, obtener más atención y compensar aquellas limitaciones originadas por su miedo.

Nadie se engaña a sí mismo propositivamente; el autoengaño es un mecanismo completamente inconsciente y por ello nos hace pagar precios tan altos a largo plazo pues sin darnos cuenta nos vamos atrapando de manera imperceptible en la ficción que creamos como compensación a lo que consideramos deficiencias.

Vamos caminando por la vida en una senda de ensayo y error; cuando no aprendemos a ver el error o el fallo como una posibilidad de crecimiento sino que lo vemos como una deficiencia de nuestro ser surge el autoengaño como una herramienta de sobreviviencia emocional que nos permite "maquillar" lo que se ha etiquetado como deficiencia. Irónicamente lo que creamos es infinitamente más deficiente pues es falso y requerirá de muchos soportes y actualizaciones permanentes para mantenerse activo y funcionando, como la bola de nieve en las caricaturas que va creciendo cada vez más hasta que envuelve todo a su paso.

Los niveles de autoengaño varían en función del nivel de conciencia de las personas y no son los mismos a lo largo de la vida; en ocasiones una experiencia nos confronta de tal manera que obliga a que nuestras máscaras caigan y que nos veamos tal cual somos; en ese momento surge la oportunidad existencial de reconstruirnos o reconciliarnos.

La reconstrucción no es otra cosa más que el re-ajuste del personaje; en ocasiones la creación de un personaje alterno, menos burdo y más sofisticado, con herramientas de manipulación más depuradas y sutiles, que tarde o temprano caerá nuevamente en crisis y tocará nuevamente vacío existencial.

Por el contrario, la reconciliación es un proceso profundo de autoconocimiento y aceptación con lo que verdaderamente somos; implica vernos desnudos de máscaras y reconocer tanto nuestra vulnerabilidad como nuestra fortaleza; las limitaciones y potencialidades propias de nuestro ser; nuestra historia real, tal y como ha sido, sin víctimas ni victimarios y nos permite resurgir más congruentes y humildes para cumplir con nuestra misión de vida. No es raro que algunas personas después de un evento que las haya confrontado verdaderamente con la falsedad de su ser y hacer cambien por completo su vida, su forma de mirar el mundo y comiencen a caminar por un sendero de libertad interior acompañadas por una sensación profunda de plenitud y paz. Se termina la actuación y empieza la realidad.

El autoengaño se manifiesta de diversas maneras y toma diferentes formas que pueden coexistir de manera permanente o alternada; podemos ir de una a otra en diferentes momentos o bien permanecer en aquella que nos brinda más seguridad y resguardo emocional. El autoengaño se origina en el pasado pues es ahí donde se encuentran aquellas heridas profundas que necesitan maquillarse, bloquearse o distorsionarse para poder seguir funcionando; se manifiesta en el presente pues es el único ámbito en el que existimos y se proyecta en el futuro como un distractor importante para nuestro ser, estar y hacer en el aquí y el ahora; sea cual sea el estilo o forma que adopte afectará a largo o mediano plazo la vida de la persona; no hay una afectación inmediata pues si consideramos que la finalidad del autoengaño es proporcionar un "resguardo emocional" temporal éste surtirá efecto a corto plazo brindando los beneficios que hacen que tal recurso se mantenga. Exploraremos detenidamente algunas de las formas más comunes.

1. Los fantasmas del pasado

Como había mencionado anteriormente, el autoengaño se origina en el pasado pues es ahí donde se encuentran las huellas de daño de nuestra historia; aquellas que nos han marcado de tal manera que se ha hecho necesaria la instauración de recursos ficticios como herramientas de sobrevivencia emocional; desde mi punto de vista el sentimiento de insuficiencia que reactiva al miedo es el principal origen del autoengaño.

a. Fijación: el síndrome de Penélope

Quedarnos atorados en una vivencia que ya pasó, un recuerdo o la esperanza o expectativa de volver a vivir lo mismo; cuando esto nos aleja del presente es una forma más de autoengaño; nos contamos el cuento de que todo tiempo pasado fue mejor y así nos refugiamos en el para evitar asumir la responsabilidad de nuestro aquí y ahora con todas las consecuencia que esto implica. Nos embarga la nostalgia y la añoranza de lo que ya no está y empezamos a vivir una pseudo-realidad. Esto le quita vida y color a nuestro presente y es el refugio perfecto para no involucrarnos de manera total en nuestra vida actual. Recordar es volver a vivir, dice el dicho y es cierto, pero recordar y permanecer fijado en el pasado son dos cosas completamente diferentes. Esto es a lo que yo llamo el "Síndrome de Penélope" parafraseando la hermosísima canción de Joan Manuel Serrat que nos habla de una mujer completamente fijada en el recuerdo de un amor pasado.

El "Síndrome de Penélope" no es otra cosa más que un mecanismo de defensa llamado fijación cuya función es detener el mundo emocional en una etapa en la que se obtuvo una gratificación que no se tiene en la actualidad. Re-vivir el recuerdo una y otra vez trayéndolo al presente se convierte en un escondite y en un oasis al mismo tiempo que en una trampa en la que podemos quedar atrapados sin darnos cuenta.

El recuerdo es un recurso normal de nuestra mente y usualmente lo utilizamos para reforzar aprendizajes o como oasis en momentos en los que necesitamos un "apapacho" emocional y eso es perfectamente sano. El pasado forma parte de nuestra vida y en la medida en que establecemos una relación sana con él nuestro presente será más pleno y completo. El autoengaño consiste en contarnos la historia de que el pasado fue mejor y pretender revivirlo en la realidad o en fantasía para sustituir al presente. Un reto verdaderamente imposible y riesgoso porque en el intento podemos diluir de tal manera la vivencia presente que puede aparecer ante nuestros ojos tan pobre que ante la imposibilidad de recrear el pasado podemos sentirnos impotentes y profundamente frustrados lo que puede llevar a una depresión real.

b. Modificación del recuerdo

Este estilo de autoengaño surge cuando por alguna razón el recuerdo de un evento se modifica, ya sea de manera positiva o negativa, independientemente de lo que dé más fuerza a la persona. Por ejemplo, cuando una relación de pareja ha sido conflictiva y ha tenido ciclos difíciles y también hermosos y se ha ido desgastando a lo largo del tiempo hasta romperse finalmente, es bastante común que con el paso del tiempo aquella persona que no ha podido vincularse a nivel profundo nuevamente tienda a recordar parcialmente la relación y a idealizar a la persona de su pasado como una herramienta de refugio emocional ante su incapacidad de establecer una relación nueva o inclusive estando en una relación que no la satisface; en muchas ocasiones las personas pueden regresar a su pasado a buscar a su ex pareja con la expectativa de encontrar aquello que han estado recordando de manera incompleta y que con el paso del tiempo han idealizado; este estilo de autoengaño lastima profundamente pues al volver a estar en contacto con aquella persona que nos lastimó lo que ocurre frecuentemente es que la realidad nos confronta dura y cruelmente con la parte que habíamos olvidado o modificado en el recuerdo y nos confirma una vez más la razón del por qué nos habíamos separado. Esto no quiere decir que no haya posibilidades de retomar una relación del pasado; es posible siempre y cuando nos forcemos a recordar completamente evitando idealizar la parte linda o minimizando la parte no tan linda porque si no, estaremos cayendo en un autoengaño que tarde o temprano nos hará pagar los precios.

Aquí vale la pena una reflexión: ¿por qué regresamos a relaciones pasadas aún sabiendo que en su momento nos causaron daño y no fuimos felices? ¿Por qué regresar a buscar o a abrirle la puerta a aquella persona que nos lastimó una y otra vez? La gran mayoría de veces lo hacemos por no recordar completo, por modificar el recuerdo y quedarnos únicamente con la parte más nutricia o romántica de la historia y esto definitivamente es autoengaño. La respuesta más profunda a estos cuestionamientos vuelve nuevamente a ser el miedo; miedo a no encontrar a nadie más, a no ser capaz de establecer una relación nueva o en diferentes términos y entonces surte efecto el refrán de "más vale malo conocido que bueno por conocer"; es decir, la persona prefiere quedarse en lo conocido, aunque sea tóxico, que correr el riesgo de buscar algo nuevo por sentirse incapaz o inmerecedor de lograrlo.

Desafortunadamente cuando en la relación aparezcan nuevamente aquellas actitudes que nos lastimaron antes y que nos hicieron irnos de ahí, el dolor y el resentimiento anterior se reactivarán ocasionando discusiones o conflictos mucho más fuertes debido a que ahora se suma la frustración de las expectativas fantaseadas a lo largo del tiempo de la ruptura. Y tristemente podemos ver parejas que permanecen en este estilo de relación por años.

Los asuntos inconclusos tienen un papel muy importante en este estilo de autoengaño; en la medida en que dejamos asuntos sin cerrar, pláticas importantes sin concluir, relaciones significativas sin hablar lo que tenía que hablarse, sin pedir u otorgar perdón, sin reconocer la parte personal que llevó a la ruptura, habrá más terreno fértil para la modificación del recuerdo porque entonces la necesidad que tenemos de cerrar se manifiesta a través de la fantasía y ahí empieza el autoengaño. Conforme vamos cerrando nuestras historias y concluyendo capítulos en nuestra vida estaremos más abiertos a nuevas etapas porque hay menos equipaje sobre nuestras espaldas; traer un pendiente es como caminar cargando una piedra y el tamaño de la piedra será proporcional a la carga emocional que se quedó detenida sin expresar.

Con mucha frecuencia las personas que cierran capítulos que habían permanecido abiertos durante mucho tiempo experimentan una sensación de liberación al haberse quitado "un peso de encima". Lo inconcluso pesa y en ocasiones, pesa mucho y nos impide movernos, metafóricamente hablando, en nuestra vida real.

Viene a mi mente la historia de un muchacho que salía con dos chicas, una a la que consideraba una amiga muy especial y que le despertaba muchos sentimientos que jamás le expresó y la otra que pertenecía a su círculo social y con la que convivía muy frecuentemente, las cosas se fueron dando de una manera que eligió casarse con la segunda chica; cuando se armó de valor para contarle a su amiga ya sólo faltaban 2 semanas para su boda y aunque estaba contento por casarse, sentía que la estaba traicionando y lastimando; él se quedó con ese sentimiento preguntándose qué habría pasado con ella después de la noticia, pero nunca tuvo el valor de buscarla; dejaron de verse por 14 años hasta que por alguna circunstancia él volvió a saber de ella e intentó contactarla; ya habían pasado los años y no fue sino hasta 6 años más tarde de ese intento que pudieron sentarse a hablar de todo lo que no se habían dicho; se preguntaron todo lo que habían necesitado saber uno de otro para descubrir con sorpresa que ambos compartían un sentimiento especial del que nunca habían hablado y que se habían contado una historia completamente diferente a la real. Finalmente, 20 años después él pudo decirle lo mal que se había sentido de haber actuado así y ella pudo entender lo que había pasado. El se liberó para siempre de ese pendiente, se dieron un gran abrazo y cada uno continuó con sus vidas, guardando el recuerdo de ese cariño y esa amistad tan especial. Éste, sin duda, no es un caso común y no todos somos tan afortunados como para cerrar los pendientes o asuntos inconclusos de una manera tan linda, pero es posible. Lo que me parece muy interesante de mencionar en este caso en particular es la fuerza que tiene un asunto inconcluso que aun sin ser nada dramático consume energía y sigue ahí.

Cuando el asunto inconcluso es más dramático y tiene matices más fuertes la importancia y la cantidad de energía que consume es realmente importante y en ocasiones, la modificación del recuerdo se hace necesaria para poder seguir viviendo.

Otro caso más impactante es el de un hombre cuya familia muere en un accidente mientras él iba manejando; el sentimiento de culpa fue tan grande que la modificación del recuerdo fue verdaderamente notoria. Cuando despertó del estado inconsciente en el que había caído después del accidente, él recordaba ir manejando y sentir que perdía el control del auto, "como si una llanta estallara" repetía, hasta chocar de frente con un camión de carga; esta fue la historia que contaba y repetía una y otra vez, argumentando que no había podido hacer algo para evitar tal tragedia.

Cuando llega a mi consultorio ya habían pasado más de 15 años del accidente y seguía despertándose sobresaltado en la mitad de la noche con una angustia profunda sin poder volver a conciliar el sueño; su síntoma era un insomnio crónico y dependía de pastillas para dormir porque era imposible para él no despertarse a media noche; después de un proceso terapéutico bastante complejo, en una sesión de hipnosis rescató el recuerdo real de lo que había ocurrido: la realidad era que se había quedado dormido mientras conducía pero esa realidad era tan impactante para su ser que fue necesario modificar el recuerdo para poder seguir viviendo con el sentimiento de culpa. 15 años después su interior le permitía accesar a la verdadera historia y empezar a procesar desde ahí el recuerdo sin modificarlo; fue un proceso largo y doloroso con un resultado bastante positivo; pudo por primera vez comprender lo que había pasado, perdonarse por ello y reconciliarse con su derecho a dormir; la primera noche que pudo dormir sin pastillas fue para él la señal de que en su interior ya se había perdonado y empezó una nueva relación consigo mismo y con la vida.

Otro estilo de modificación del recuerdo es el uso-recurso de la fantasía; personas que a partir de un evento maquillan y desarrollan una historia que acaban creyéndose a tanto repetirla. No estoy hablando de personas enfermas con delirios o mitómanas sino de personas en uso de sus facultades que se cuentan historias como una manera de compensar ciertas deficiencias. En este estilo recuerdo el caso de una chica bastante poco agraciada físicamente y con una gran sensibilidad y necesidad afectiva. Un compañero de su escuela le había pedido que fuera su novia para a los dos días decirle que había cambiado de opinión y que por ahora no quería tener novia; esto rompió el corazón de la chica pero modificó el recuerdo de una manera que curiosamente justificaba el proceder del chico; ella se contaba la historia de que él había decidido romper con ella no por falta de interés sino como una manera de apreciarla y de cuidarla, inclusive de protegerla de la envidia de las demás chicas y eso lo engrandecía aún más ante sus ojos; decía que aunque él nunca le había dicho eso ella lo intuía y en vez de estar enojada con él se lo agradecía. La realidad era que, según palabras de su madre, era obvio que el chico no tenía ningún interés y que su hija era víctima de burlas por parte de sus compañeros por su aspecto físico; le dolía mucho el que su hija hubiera creado una fantasía alrededor de ese chico diciendo que ella no iba a hacerle caso a nadie más y que lo iba a esperar hasta que pudieran estar juntos, que no le importaban las burlas de los compañeros, ni la aparente indiferencia de él pues ella sabía que en el fondo él la amaba y que sólo aparentaba desinterés para cuidarla. Obviamente con esta historia no sólo justificaba la burla de la que era objeto sino que estaba justificando de antemano una realidad más difícil de aceptar que era la poca popularidad con los chicos y la baja probabilidad de que alguien más le pidiera ser su novia. Una estrategia de sobreviviencia emocional sumamente útil en ese momento pues la envolvía en una especie de burbuja que la protegía de la hostilidad del ambiente. Lo riesgoso de este tipo de recursos es que pueden llegar a convertirse en la base de las creencias emocionales y a establecerse de manera permanente.

Cuando revisamos estos ejemplos podemos ver claramente la utilidad del autoengaño, sin embargo, el reto principal es preguntarnos qué estilos de historias nos hemos contado y para qué; cuántas de las historias que contamos acerca de nosotros son reales o han estado maquilladas por nuestro interior y cuántos de nuestros recuerdos son ciertos. La única manera de saberlo es enfrentarnos a nosotros mismos.

Asumir, interpretar, deducir, imaginar dejan mucho espacio para el autoengaño en el momento de procesar la realidad; mientras menos claridad tengamos hay más espacio fértil para llenarlo de fantasía. Cuando invertimos tiempo y energía emocional en preguntar lo que necesitamos saber, en escuchar lo que nos están diciendo, sin justificar o traducir lo que el otro dice, cuando somos capaces de enfrentar lo que nos está pasando independientemente del dolor que nos cause estamos reduciendo considerablemente la posibilidad del autoengaño, aunque para hacer esto tendríamos que renunciar a la intención de querer controlar todo lo que ocurre a nuestro alrededor incluyendo los pensamientos, sentimientos y acciones de los demás.

2. Las fantasías del futuro

El futuro es el espacio en donde se puede construir todo, en donde todo es posible y en donde cualquier posibilidad tiene cabida porque es el terreno puro de la fantasía. El futuro puede convertirse en un pizarrón en donde plasmamos nuestras metas o en una nube en donde edificamos castillos, el problema es cuando pretendemos no sólo habitarlos sino empezamos a vivir en ellos antes de que existan.

En este espacio se dan un sin fin de oportunidades para el autoengaño y las excusas para evadir el presente están a la orden del día.

Vamos a reflexionar de qué manera sucede esto.

a. Anhelos *vs.* metas

Un anhelo es un deseo vehemente de conseguir algo y ese anhelo puede tener diferentes orígenes; puede darse desde una necesidad real o bien desde una necesidad creada. Cuando anhelamos queremos conseguir algo, buscamos en nuestros recursos la manera de lograrlo y enfocamos nuestra energía en ello. ¿En dónde se encuentra entonces el problema si hasta aquí el anhelo suena como una herramienta importante para alcanzar nuestras metas? El riesgo empieza en que un anhelo no necesariamente es una meta y si bien puede ayudarnos a alcanzarla fácilmente también podemos quedar atrapados en los sueños y en la fantasía más que en la elaboración de estrategias concretas para alcanzar algún fin.

¿Qué es lo que nos hace quedarnos en la fantasía cuando realmente pretendemos alcanzar algo? Quizá uno de los autoengaños más comunes es el plantearnos metas excesivamente exigentes o lejos de nuestro alcance.

Todos estamos dotados para hacer muchas cosas y como seres humanos y divinos al mismo tiempo nuestras posibilidades son inmensas, pero también tenemos limitaciones humanas que en ocasiones no tomamos en cuenta, ya sea porque no las conocemos o porque no las aceptamos.

Hace unos meses daba yo una conferencia respecto a qué nos impide alcanzar los tan famosos propósitos de año nuevo y aunque la charla con la audiencia se dio de una manera divertida y jocosa cuando llegamos al punto del autoengaño las risas fueron disminuyendo poco a poco y cada uno empezó a entrar en su propio terreno de reflexión. En algo aparentemente tan común y corriente como son los famosos propósitos de año de nuevo se ve perfectamente reflejado lo que hacemos en nuestra vida cotidiana: ponernos metas tan elevadas o realmente tan poco importantes para nosotros que terminamos saboteándonos con la consecuente sensación de desilusión, fracaso y pérdida de motivación. En aquella ocasión llegamos a la conclusión que uno de los propósitos más comunes de inicio de año era perder peso, así que vamos a utilizar ese ejemplo en el que seguramente la gran mayoría hemos caído más de una vez.

Una persona quiere perder peso para verse mejor, para agradarle a alguien, porque se lo recomendó el doctor o porque ha hecho una apuesta o por cualquier otra razón que se te pueda ocurrir; decide que va a cambiar su dieta, va a empezar a hacer ejercicio y se pone la meta de que en 6 meses habrá bajado varias tallas y que va a sorprender a todos con ese vestido o ese traje que ya no le queda; se imagina lo que los demás dirán, los rostros de asombro y lo bien que va a verse usándolo; ¡ése es su propósito de año nuevo!

En su mente empieza a diseñar su rutina, hace una lista de las cosas que debe y no debe comer, se inscribe en un gimnasio o decide que va a salir a correr todos los días, se compra tenis nuevos o ropa de ejercicio o desempolva la que se compró el año pasado y dejó de usar, surte el refrigerador con fruta, verduras y cosas saludables y ¡empieza el año lleno de anhelos! Con la fuerza que da la motivación inicia el reto; los primeros días cumple su rutina y se siente feliz y satisfecho por ello, después con el paso de los días se da cuenta de que ha bajado un poco de peso y decide que "se dará un premio" y rompe la dieta, "total es sólo un día"; lo más probable es que con la comilona dada el domingo, curiosamente la gran mayoría escoge ese día para romper la dieta, el lunes se siente tan pesado que decide "regalarse" ese día y no salir a hacer ejercicio para "descansar"; el martes las cosas ya no se ven como las semanas anteriores y poco a poco el amor por la fruta y los vegetales se va sustituyendo por las mismas chucherías que había dejado de comprar, sólo que esta vez con un sentimiento de culpa y de desilusión. Obviamente a estas alturas no sólo ha recuperado el par de kilos que había perdido sino quizá un parcito más sintiéndose tan desmotivado y enojado que se empieza a dejarse llevar por la rutina completándose un ciclo más de no poder cumplir los famosos propósitos, total todavía falta tiempo para se cumplan los 6 meses, faltan cuatro, faltan dos, falta uno y se llega la fecha propuesta; si es afortunado llegará con el mismo peso que empezó, pero si no inclusive hasta habrá ganado unos kilitos más que se sumarán a los propósitos del año entrante. ¿Suena conocido? Esto puede aplicarse a cualquier hábito que pretendamos modificar de golpe y dramáticamente sin una ampliación de conciencia previa. ¿Qué pasó aquí? ¿En dónde estuvo el autoengaño?

Aunque cada caso es distinto, remitiéndonos a este ejemplo en particular podemos decir que lo que faltó fue: conocimiento de límites y planteamiento de objetivos claros, fáciles de alcanzar y a corto plazo. Para una persona que no ha hecho ejercicio o ha dejado de hacerlo por un tiempo el autoimponerse de un día a otro una rutina completa es una autoexigencia muy grande, no es imposible de lograr pero implica una voluntad mayor; si la persona sabe que su fuerza de voluntad no es tan grande no debe ponerla a prueba tantas veces y la meta a largo plazo, en la mayoría de los casos se convierte en un escondite inconsciente de la evasión del compromiso… "total todavía falta tiempo".

El autoengaño se da en la medida en que por pensar en cómo será el futuro dejamos de estar en el presente; por estar soñando en cómo nos vamos a ver en seis meses dejamos de cuidar lo que comemos el día de hoy y ese anhelo simplemente se convierte en una fantasía.

No hay manera más fácil de alcanzar las metas que ponerlas al alcance real de nuestras posibilidades y a corto plazo, en el día a día, porque realmente es lo único que tenemos, de ahí la fuerza tan grande del "sólo por hoy", porque realmente es lo único que existe; en la medida en que mantenemos nuestro anhelo centrado en el presente nos dará la motivación y la energía suficiente para poder alcanzar nuestra meta cotidiana, si por hoy elijo comer sano y hacer un poco de ejercicio, es suficiente, sólo por hoy. Repito que el ejemplo de la comida fue sólo eso, un mero ejemplo, pero puede ser tomado como una metáfora para cualquier área de nuestra vida: para dejar un hábito que nos enferma, una relación tóxica, una actitud que nos limita o cualquier cosa que detenga nuestro crecimiento.

El verdadero guerrero lucha sus batallas en el presente porque es el único campo de batalla real, trae los fantasmas de su pasado para enfrentarlos en su aquí y ahora y utiliza sus anhelos y sueños a futuro para encontrar las estrategias necesarias y alcanzar sus metas en su hacer cotidiano. ¿Quieres ser mejor persona? ¡Empieza por serlo ahora! ¡En este mismo momento!; ¿quieres bajar de peso? Empieza por cuidar la siguiente elección de lo que te llevas a la boca a partir de hoy, no a partir del lunes o del día primero de mes porque ése es el autoengaño; cuando queremos hacer algo verdaderamente lo hacemos ¡ya! ¡Aquí y ahora! No hay que planearlo tanto ni acomodar las cosas; ¿quieres hacer ejercicio pero "no tienes tiempo"? ¡Ponte a hacer sentadillas en lo que miras la televisión en vez de estar sentado en el sofa! ¿Quieres realmente dejar de fumar? ¡Apaga ese cigarro, ya! Así de fácil, no hay recetas mágicas. Y ahora muy probablemente tu mente te dirá "como si fuera tan fácil". ¡Ése es el problema! que no te crees capaz, que no lo crees posible, ¿a quién tienes que vencer entonces? ¿es la comida lo que tienes que controlar o la manera como piensas acerca de ti mismo? ¿Si tú no crees en ti mismo cómo es posible que puedas tener éxito en lo que te propones? ¿Cómo ganar una batalla que de antemano está perdida? La fuerza de voluntad no es otra cosa más que la convicción y la certeza de que yo puedo lograr lo que me he propuesto y tenerlo presente en el día a día. Ésas son las luchas cotidianas del guerrero actual y por supuesto en un plano más profundo estaríamos hablando de modificación de lenguaje, de hábitos de pensamiento, de control de prejuicios, de controlar el "esfínter bucal" y permitir que sólo salgan palabras agradables o por lo menos evitar las agresivas y yendo aún más profundo la práctica cotidiana del agradecimiento y del servicio como hablaremos más adelante.

Créeme que si te digo esto es porque lo he comprobado una y otra vez en mi vida. Dejé de fumar de un día para otro hace muchos años cuando me di cuenta de que el cigarro ya se había convertido en una necesidad completamente neurótica; me dijeron que no iba a poder hacerlo de un día para otro, que si la hipnosis, que si los parches, que si los chicles, ¡que si nada! Me pregunté honestamente a mí misma si quería dejar el cigarro por mí, no por nadie más, mi respuesta fue sí y ese día fue el último de mi vida, así de sencillo. Con esto no quiero decir que no pasé por la crisis de abstinencia, pero sabía que iba a venir y también que iba a pasar y que iba a llegar un día en el que ni siquiera me acordara que había fumado y así ha sido. Es simplemente cuestión de elegir honestamente desde nuestro centro porque ahí es donde está la fuerza que nos mantiene y nos guía. Y como éste, pudiera mencionarte un sinfín de decisiones personales, pero sería aburrirte, lo que intento decirte que si yo lo he podido hacer, tú también, es sólo cuestión de ser honesto contigo mismo y elegir lo que verdaderamente hace sentido en este momento de tu vida, coincida con lo que los demás te digan o no; si es tu momento de dejar de fumar y eres lo suficientemente honesto contigo mismo, de ahí sacarás la fuerza para vencer los obstáculos y tentaciones que se presentarán irremediablemente; si no es tu momento, acéptalo tal cual y no te engañes porque no hay cosa más dolorosa que la autodecepción, algo a lo que ninguno deberíamos exponernos y que no tendría por qué estar presente en nuestras vidas si verdaderamente aceptáramos quiénes somos en este momento y eligiéramos desde nuestro centro. Nadie cambia algo mientras no esté dispuesto a renunciar a ello, es simple sentido común.

En una ocasión llegó a mi consultorio un hombre de mediana edad, bien parecido, culto y agradable; le pregunté en qué podía ayudarlo y con una hermosa y seductora sonrisa me dijo: "vengo a que me quites lo mujeriego", "ya no quiero andar con tantas mujeres, son muy complicadas"; lo escuché atentamente, observando detenidamente sus expresiones, su tono de voz, su expresión corporal y durante toda la exposición de su "problema" pude notar un dejo de satisfacción y una sonrisa de complicidad consigo mismo; le pregunté por qué había decidido acudir a terapia y su respuesta fue: "porque así por lo menos puedo decir que hasta con terapia lo intenté". Era muy obvio que no había elegido cambiar desde su centro y aunque muy probablemente su deseo real era modificar ese patrón de comportamiento estaba muy lejos de ser congruente con su ser interno, se estaba engañando a sí mismo. Lo miré en silencio hasta que terminó su brillante exposición y con una sonrisa casi retadora me dijo: "¿me vas a hipnotizar o qué vamos a hacer?" "vamos a sacar una nueva cita cuando estés realmente dispuesto a cambiar" le dije muy suavemente "tu sonrisa te ha delatado toda la sesión y yo no voy a ser parte de tu juego, te equivocaste de terapeuta". Se quedó atónito y por un momento la sonrisa se desvaneció de sus labios, como si no supiera cómo reaccionar, después de analizar juntos el por qué de mi conclusión terminamos la sesión con un abrazo afectuoso y se fue. Tiempo después llegó una persona recomendada por él: "Mi amigo me dijo que tuvo la sesión más productiva de su historia y que si quería que me dijeran la neta que viniera con usted". En ese momento supe que el no haber participado en su autoengaño y confrontarlo con su juego había sido más útil para él que si hubiéramos perdido sesiones enteras en forzarlo a cambiar en algo que de antemano no iba a cambiar. Todos tenemos un momento para cambiar y de nada sirve que intentemos forzarnos a hacerlo; el destiempo emocional también puede llegar a formar parte del autoengaño.

Si estás atravesando por una ruptura dolorosa, no te engañes diciendo que no te interesa, que qué bueno que pasó así, que por algo pasan las cosas, ni trates de fingir que no te duele; llora hasta que no te queden lágrimas para que el dolor pase más pronto y acepta que la pérdida ha sido importante, no es vergonzoso admitir que somos vulnerables, es de grandes guerreros reconocer nuestra fragilidad porque es de ahí de donde emerge nuestra fortaleza; todo pasa y una vez que pasa forma parte de nuestra historia; intentemos vivir intensamente nuestro presente para evitar crear fantasmas en nuestro pasado y evitar distraernos con las fantasías del futuro, créeme que bastante trabajo tenemos si "sólo" nos quedamos con el aquí y ahora.

Otra forma de autoengaño bastante frecuente es la que se da al pensar que cuando alcancemos algo específico en el futuro seremos felices; cuando nos ganemos la lotería o tengamos un trabajo diferente; cuando esa persona me acepte en su vida, cuando nos casemos, cuando nos divorciemos, cuando enviudemos, cuando tengamos un hijo, cuando se valga por él mismo, cuando tengamos nietos, cuando... y así la lista es interminable; es increíble la energía que gastamos en imaginar lo maravillosa que será nuestra vida "cuando..." nos dormimos pensando en ello y en momentos difíciles nos sirve de refugio; si bien es una pauta que puede mitigar un presente poco nutricio y darnos un respiro en momentos difíciles, si se vuelve una "realidad paralela" puede llegar a convertirse en un serio autoengaño que nos lleve a dejar de hacer cosas en nuestro presente y a consolarnos soñando en esa "realidad fantaseada"; algo así como acabar dando por real la existencia de ese amigo imaginario con el que algunos platicaban en la infancia y ponerle un plato en la mesa en nuestra vida adulta.

Fantasear con el futuro, soñar despiertos, jugar con las posibilidades inciertas es un juego maravilloso porque podemos acomodar la historia como mejor nos parezca y únicamente ahí tenemos control absoluto de los personajes que participan en nuestra historia, somos el director, productor y actor principal de una obra que reescribimos en el momento que se nos antoja y es, sin duda, un oasis para la vida caótica en la que podemos caer a veces, ¡no tiene absolutamente nada de malo! Disfrútalo al máximo, acomoda tu obra de la manera que quieras, diseña los diálogos y los eventos realmente como te gustarían que fueran en un mundo ideal sabiendo que sólo es un respiro emocional que te das y que en cuanto se acabe el show regresarás a tu realidad con más energía y mejor humor; el único riesgo es que en ocasiones la realidad es tan poco gratificante y la fantasía es tan maravillosa que corremos el riesgo de sin darnos cuenta poco a poco empezar a dejarnos atrapar por esa historia; únicamente ahí podríamos empezar a hablar de autoengaño. Un poco de fantasía en la vida siempre aportará una parte de encanto que no vale la pena sacrificar, así que disfrútala con conciencia, te lo digo por experiencia.

3. La interpretación del presente

El presente es la única instancia real en la que podemos existir, podemos intentar revivir el pasado una y otra vez o construir castillos en las nubes del futuro pero ambos intentos se darán en el presente porque es el único ámbito que existe. El aquí y ahora es la única realidad que vivimos aunque nos fuguemos de ella de manera constante.

Aún intentando vivir en el presente la manera como traducimos la realidad es lo que hace que se produzca el autoengaño también en esta instancia. Veremos ahora el fenómeno de deformación y cómo se produce.

a. Percepción *vs.* deformación

Cuando vivimos una realidad tenemos dos maneras de traducirla o decodificarla: la percibimos en su justa magnitud o la deformamos y de estos códigos van a depender nuestras reacciones y respuestas.

¿Qué influye en el proceso de deformación? ¿Cómo se lleva a cabo? Nosotros vamos desarrollando desde que estamos en el mundo una especie de "decodificador" de emociones y situaciones. Si observamos a un niño pequeño vemos que cuando se enfrenta a una situación nueva con frecuencia observa de manera automática la respuesta de su madre o cuidador para imitarla. Recuerdo la primera vez que viajé con mi hijo de casi 3 años en una avioneta; él iba feliz porque estaba acostumbrado a viajar en aviones desde muy pequeño pero ésta era la primera vez que se subía a una avioneta; todo iba muy bien hasta que pasamos por una zona de turbulencia y la avioneta empezó a moverse repetidamente; su reacción automática fue verme para observar cuál era mi reacción, no sabía cómo responder a la situación y yo era su decodificador. Afortunadamente yo estaba habituada a este tipo de circunstancias y no sentía miedo alguno así que mi respuesta fue verlo, sonreír y decir: "yujuuuuu"; él se me quedó viendo con una sonrisa incipiente, no muy convencido, en la segunda turbulencia hice lo mismo y para la tercera ocasión ya él mismo estaba sonriendo y diciendo "yujuuuuuuu" divertido con tanto movimiento; de esta manera la percepción de una situación que podía haber sido decodificada como amenazante se había convertido en algo divertido y el resto del viaje siguió tan feliz como había iniciado para sorpresa de algunos pasajeros a nuestro alrededor que iban obviamente más asustados que felices. Con este ejemplo podemos ver la importancia de percibir una situación con el decodificador adecuado y de cómo en gran medida la manera que percibimos la realidad es influida por el entorno. Vamos aprendiendo a reaccionar, a interpretar y elaborar juicios. Seguramente la realidad para otro pequeño viajando con una madre asustada será completamente diferente a la de mi hijo y ambas vivencias son igual de válidas. De la misma manera vamos aprendiendo a elaborar juicios y prejuicios en base a la mezcla de nuestras experiencias y nuestros aprendizajes previos. Desafortunadamente en muchas ocasiones hemos aprendido más a juzgar que a recibir y a suponer más que a preguntar y eso hace que la percepción de la realidad sea deformada y traducida a un esquema poco sano y bastante limitante que se manifestará en relaciones interpersonales deficientes.

La estrategia para evitar malas interpretaciones o deformaciones del presente es preguntar, preguntar, preguntar y checar que lo que estamos escuchando es lo que el otro me está queriendo decir pues aquí hay dos vías, cada una con sus propios baches, por un lado en muchas ocasiones la persona no sabe expresar lo que realmente quiere decir además que el que escucha lo decodifica de una manera inadecuada, así que podemos imaginar la cantidad de interferencia que existe en una sola frase, ahora imaginemos lo complicado que esto se vuelve cuando hay emociones o sentimientos involucrados que nublan nuestra objetividad.

Con mucha frecuencia en cursos o seminarios digo que soy responsable de lo que digo, pero no soy responsable de lo que el otro escucha y mucho menos de lo que elija hacer con eso que escuchó que en muchas ocasiones es muy diferente a lo que yo dije, aunque parezca trabalenguas. En repetidas ocasiones he escuchado pacientes o alumnos decirme: "tú me dijiste que..." y me sorprende muchísimo la interpretación que le han dado a una frase que llevaba una intención completamente diferente; viene a mi memoria el ejemplo de una mujer de alrededor de 60 años, que llegó a mi consultorio por haber descubierto que su marido por más de 40 años tenía otra familia por los últimos 20 años; estaba destrozada, literalmente deshecha; trabajamos durante algún tiempo tratando de reconstruir las bases de su vida que hasta ese entonces había girado alrededor de su hogar, de sus hijos y de sus nietos y dejé de verla un tiempo. Un par de años después regresó a mi consulta completamente cambiada, se había divorciado, recurrido a la "ayudita" de un buen cirujano plástico, había iniciado sus clases de arte y lucía maravillosa, nada que ver con aquella mujer dejada, destrozada y resentida. Verdaderamente sentí una profunda alegría y una infinita admiración por la gran guerrera que tenía frente a mí, era un regalo verla; cuando le pregunté qué la había hecho dar ese giro en su vida me dijo: ¡¡¡Usted!!! La frase que me dijo cambió mi vida y en los momentos más difíciles siempre la tuve presente y fue lo que me dio la fuerza"; yo estaba impactada, no podía recordar qué frase había tenido tanto poder o impacto en la vida de alguien y de pronto me asustó sentir el poder que algunas personas pueden depositar en mí o en nosotros los terapeutas; con una curiosidad genuina le pregunté: "¿¿¿Cuál frase???" y para mi sorpresa me dijo: "Cuando usted me dijo que si yo me conformaba con la porquería de marido que tenía era porque yo era igual y créame que lo menos que quería era parecerme a ese cerdo". Yo me quedé tan asombrada como seguramente tú, que estás leyendo estas líneas, estás; jamás recuerdo haberle dicho a ella o a ningún paciente una frase similar, reconozco que puedo llegar a ser muy confrontativa cuando es necesario, pero jamás ofensiva y mi primer reacción fue preguntarle azorada: "¿¿¿yo te dije eso???" ella soltó una carcajada al verme la cara y me respondió: "bueno, no con esas palabras, pero yo así lo acomodé y eso me dio fuerzas para salir adelante"; yo sonreí aliviada valorando profundamente la sabiduría interna que todos tenemos y ambas nos reímos de la tan poderosa "frase terapéutica"; al menos en este caso la paciente tenía la claridad de que ella había hecho ciertas modificaciones a la frase, pero en otros casos el acomodo se da de manera inconsciente y el paciente puede llegar a deformar de tal manera la intervención terapéutica que puede haber consecuencias bastante serias, por eso tenemos que ser tan cuidadosos con el uso de nuestro lenguaje, en los cómo decimos la cosas, para qué las decimos, en qué momento las estamos diciendo y a quién y esto no va sólo para los terapeutas sino para cualquier persona a la que se le pida un consejo pues con mucha frecuencia cuando se pide un consejo se está buscando a alguien a quien echarle la culpa si las cosas no salen bien, así que mucho cuidado con dejarle demasiado espacio a la deformación.

6

Engrandeciendo nuestro ser humano

Con frecuencia andamos en búsqueda no solo de respuestas sino de técnicas, estrategias, recetas, varitas mágicas y cuanta cosa nos pueda ayudar a estar y sentirnos mejor. Buscamos cursos, talleres, seminarios, libros, CD's, videos, etcétera con el afán de encontrar una forma para poder corregir nuestras deficiencias, sanar nuestras heridas y establecer relaciones más sanas que nos ayuden a tener una vida más plena; en ocasiones encontramos lo que buscamos y perdura, en otras creemos haberlo encontrado pero su permanencia es efímera y en algunas más nos encontramos con un sentimiento de frustración e impotencia al no poder concretar nada en particular.

Para mí existen dos recursos "mágicos" para cambiar nuestra visión de la vida y nuestro estar en el mundo: El agradecimiento y el servicio y cualquier técnica, estrategia o receta basada en ellos tendrá permanencia y verdaderamente hará posible el cambio en nuestra vida. Vamos a descubrir por qué.

1. Agradecimiento

El agradecimiento es una actitud que parte de una virtud: la humildad; no podemos agradecer de corazón si no contactamos con la humildad porque es únicamente desde ahí que podemos recibir algo que se nos da. Agradecer nos lleva a reconocer que alguien más nos dio algo valioso y que únicamente aquél que es valioso puede dar algo de valor por lo que nos remonta de manera inmediata al reconocimiento de nuestra grandeza y a de los demás como seres humanos. Agradecer nos pone en contacto con nuestra parte humana que necesita recibir y que es merecedora de hacerlo.

Cuando agradecemos de centro, no sólo de forma, estamos diciendo sí al mundo, sí al destino y sí a la vida entera, pues cuando hablo de agradecimiento no me refiero solamente a decir "gracias" al otro sino a la vida misma; a lo cotidiano, al día que nace y termina, a aquellas cosas que cuando no salen como yo quiero me hacen recordar que el control es sólo una ilusión y me ponen en contacto con mi parte falible y vulnerable ayudándome a crecer en mi tolerancia a la frustración; agradecer la alegría y también el dolor como vehículos de crecimiento; agradecer el amor y el desamor; los encuentros y desencuentros; la libertad inherente a nuestra naturaleza y el poder disfrutar de un vaso de agua cuando tenemos sed. Agradecer nos lleva a reconocer de manera natural la existencia de lo divino, le llamemos como le llamemos y es el mejor antídoto contra la queja y la victimez.

Si en vez de quejarnos por el clima agradecemos que podemos ver un día más, indudablemente algo va a cambiar; si en vez de quejarnos de que esa persona no nos da lo que esperamos agradecemos en nuestro interior el darnos cuenta de cuanto dependemos de ella, es seguro que las cosas serán diferentes y éste es un proceso interno; no necesitamos andar por el mundo agradeciendo en voz alta, es una cuestión de reverencia interna ante la vida; es simplemente aceptar que las cosas son como son porque hay un sentido para ello lo entendamos o no, nos guste o no.

La práctica del agradecimiento cotidiano no es fácil pero da frutos inmediatos; su acción sobre el enojo o la depresión son inmediatos porque también nos ayuda a darle un sentido a las cosas y cuando encontramos el sentido a las cosas difíciles sufrimos menos. No hay una receta o técnica, es simplemente empezar a dar gracias por todo aquello que nos sucede dentro o fuera y permitir que el cambio energético vaya surgiendo por sí solo. En ocasiones he encontrado que hay personas que se les dificulta empezar a agradecer porque no tienen un sistema de creencias establecido y consideran que el agradecer tendría que ser dirigido a algo o a alguien, no necesariamente, si eres una de esas personas simplemente te invito a que lo hagas sin buscar una figura que te ponga en conflicto, lanza las gracias al universo que él mismo te las regresará en un estado de bienestar paulatino. Sólo tienes que intentarlo, después de todo no pierdes nada.

En una ocasión me encontraba dando un taller del Camino Guerrero en Roma, era un grupo bastante lindo de personas que se estaban formando como psicoterapeutas gestalt; estuvimos trabajando todo el fin de semana y cuando llegamos al trabajo con el agradecimiento después de hacer un ejercicio bastante profundo al escuchar los comentarios de los alumnos todos estaban vibrando en una sintonía muy amoroso menos una chica que estaba verdaderamente enfurecida; empezar a escucharla fue muy sorprendente para mí pues el grupo en general estaba en una frecuencia muy distinta; al ir escuchando a esta chica tan enojada diciendo que a ella le enojaba mucho dar las gracias, que a quién teníamos que agradecer y por qué, pude ver emocionalmente hablando a una adolescente emberrinchada con la vida y envidiosa y enojada de no poder alcanzar los mismos resultados que sus compañeros de grupo; su momentánea imposibilidad de bienestar la hacía estar furiosa y dentro de toda su furia pude percibir el gran dolor que había detrás, algo verdaderamente fuerte debía de estar pasando en su corazón en ese momento para hacerla reaccionar así, la escuché, recibí su enojo, le validé su experiencia y la invité a que explorara en su proceso terapéutico qué la tenía tan enojada con la vida, sorprendentemente al decirle eso su expresión cambió y guardó silencio de inmediato, probablemente no se había dado cuenta del enojo tan grande que tenía con la vida. La persona que me acompañaba en el curso estaba sorprendida de mi tranquilidad ante lo que él consideraba una agresión por parte de la chica, no podía entender por qué yo me comportaba de esa manera siendo que él mismo ya estaba molesto ante lo que estaba interpretando como un ataque de la participante; yo agradecí su cuidado manifestado a través de su molestia e intenté explicarle que lo que la chica estaba manifestando, aunque parecía contra mí, no lo era, sino que estaba hablando de ella misma y de su imposibilidad momentánea de sintonizarse con su propio centro amoroso.

Con este ejemplo quiero que analicemos juntos que si bien tenemos parte en las reacciones de los demás cuando interactuamos con ellos, en una gran medida no tienen que ver con nosotros, simplemente funcionamos como llave o pretexto y en muchas ocasiones como espejo en el que las demás personas proyectan su propio mundo interno; por eso es tan importante darnos cuenta qué tipo de reacciones tomamos a título personal y cuáles no; honestamente la vida se vive mucho más plena si no nos tomamos las cosas personales y si asumimos la responsabilidad de lo que sí nos corresponde. También te invito a detenerte y analizar por un momento aquellas situaciones en las que te hayas sentido atacado, ofendido o agredido por alguien y te preguntes si realmente eso que te estaban lanzando era contra ti o tenía más que ver con la persona misma; seguramente la respuesta será la segunda, pero sea cual sea indudablemente hay mucho que agradecerles a esa personas pues su presencia en nuestra cotidianeidad nos da la oportunidad de conocernos mejor, de ver qué tanto hemos avanzado no sólo en nuestra tolerancia, sino en el real entendimiento del otro y nos ofrecen la oportunidad de ser mejores. En el ejemplo que te compartía anteriormente, la rabia de esta chica nos ha dejado mucho para analizar y reflexionar ¿cómo no darle las gracias por ello?

2. Servicio

El servicio es una actitud amorosa traducida en acción. Servir es dar lo que es útil para el otro; lo que el otro realmente necesita de nosotros independientemente si estamos de acuerdo o no. Servir es poner nuestra energía física, mental y emocional a la disposición del otro renunciando a hacer "trueques" o esperar un pago por ello. Es humano esperar recibir al menos el agradecimiento del otro por nuestro esfuerzo porque el reconocimiento es una necesidad básica igual que el afecto, así que la frase de dar sin esperar nada a cambio es poco realista y efectiva en nuestro hacer humano. Por supuesto que esperamos pero es necesario traer nuestras expectativas a la realidad para evitar la dolorosa frustración. Si esperamos que por haberle dado algo a alguien éste está obligado a darnos algo a cambio cuando lo pidamos o esperamos controlarlo o decirle como vivir su vida estamos en un error porque entonces realmente no dimos nada, simplemente hicimos un trueque emocional del que muy probablemente el otro ni siquiera se enteró y se sentirá sumamente molesto, con justa razón, cuando intentemos "cobrar" el adeudo. Si esperamos que el otro quede en deuda eterna por haberle dado algo, lo más conveniente es que nos detengamos un momento y nos demos cuenta de nuestra pauta manipuladora y controladora porque tarde o temprano el otro la descubrirá y seguramente evitará aceptar lo que intentemos darle en un futuro dejándonos con una sensación de frustración y molestia.

Hasta aquí ninguno de estos ejemplos es un servicio realmente sino mas bien intentos maquillados para controlar y manipular; esto no quiere decir que la persona no crea verdaderamente que está haciendo un servicio o dando algo desinteresadamente, ése puede ser el origen pero la forma o la intención inconsciente pueden ser muy diferente.

Es justo y humano, como lo mencionaba anteriormente, esperar un reconocimiento al esfuerzo pero no necesariamente un pago o retribución por ello y esto se da de manera natural cuando hacemos un servicio real. La clave para hacer un servicio es preguntar al otro cosas como: ¿cómo puedo ayudarte? ¿qué necesitas de mí? ¿hay algo que yo pueda hacer por ti? ¿necesitas de mi ayuda? Con preguntas como éstas nos aseguramos que el esfuerzo que vamos a hacer sea útil y bien recibido por la persona, esto trae automáticamente el reconocimiento porque el otro se siente atendido y apoyado en lo que realmente necesitaba; por el contrario de cuando damos algo desde nuestras suposiciones o traducciones de la realidad en las que en muchas ocasiones damos algo que el otro no requiere, de ahí la falta de agradecimiento o reconocimiento e inclusive la molestia que con frecuencia el dador no entiende e interpreta como ingratitud.

La práctica cotidiana de esta nueva actitud, de preguntar correctamente antes de intentar servir, de checar si lo que intento dar es lo que el otro necesita y respetar sus respuestas indudablemente nos aclarará el panorama, nos ayudará a ver cuánta energía hemos desperdiciado intentando adivinar cuando el camino más corto es preguntar y nos dejará con una sensación de ligereza porque en muchas ocasiones lo que el otro necesita es infinitamente menos complicado que lo que nosotros creíamos y muy probablemente en muchas de las situaciones en las que queríamos o pretendíamos ayudar ni siquiera habíamos sido requeridos. Así la vida se hace más fácil, las relaciones más respetuosas y el servicio se convierte realmente en un acto de amor. Inténtalo y me cuentas.

7

El camino guerrero: reencuentro con la esencia

El guerrero no es aquel que anda peleando. Es aquel que está en contacto consigo mismo y que, a través de una disciplina, conciencia y voluntad, aprende a vencerse cotidianamente. La batalla no es en el exterior ni contra el exterior.

El rescate del guerrero interno es un camino de fortalecimiento, un camino de amor. Es un caminar profundamente amoroso, porque me doy cuenta de que el dolor que puedo estar sintiendo lo puede sentir otra persona, que los mismos momentos de soledad, angustia, crisis, éxtasis que he tocado los puede vivir alguien más y entonces mi estar en el mundo cambia. Empiezo a verme en los demás y a ver a los demás en mí mismo.

Este caminar es un reto permanente, una batalla cotidiana en donde el sentido va más allá de un logro personal. El sentido es volverme más humano para ser más útil a la humanidad, entendiendo por "humanidad" mis contactos más cercanos: mi familia, amigos, pareja, hijos, alumnos, pacientes, colaboradores, etcétera. Normalmente, cuando pensamos en humanidad, pensamos en todos los demás excepto en quienes nos rodean, cuando ahí es donde se encuentra nuestro trabajo real.

Llegamos a una familia y nos vamos rodeando de personas que juegan un papel en nuestra historia. No estamos ahí por casualidad, sino por causalidad. Hay algo que cada uno de nosotros viene a darle a las personas que nos rodean y a recibir de ellas. Cada encuentro es una lección de amor, por absurdo que parezca en ocasiones. Cada ser humano que se cruza en nuestro camino es un maestro que aparece para ayudarnos a ser mejores seres humanos. Aquellos que nos lastiman nos dan la oportunidad de aprender a perdonar, a marcar límites y a ser fuertes, mientras que aquellos que nos apoyan nos enseñan a ser compasivos, pacientes y tolerantes. De igual manera, nosotros somos maestros para los demás.

Un maestro no es el que enseña, sino el que vive y transmite su estilo de vida con sus acciones. Mi curiosidad y mi necesidad de saber y conocer me han llevado por muchos caminos, y cuando encuentro alguien con una propuesta nueva, antes de escucharlo, lo observo para ver si percibo congruencia. Ésa es una persona de la que quiero aprender, aunque no sepa qué.

En este punto, me gustaría aclarar lo que dije antes acerca de que una persona que nos daña también es un maestro, pues nos da la oportunidad de aprender a perdonar. Esto no significa que la persona en sí misma sea un maestro (ya que la principal característica de un maestro es la congruencia), sino que, al ocasionarnos un daño, nos está dando la oportunidad de desarrollar nuestras posibilidades de sanación, por lo que la experiencia en sí misma, si logramos percibirla de ese modo, se convierte en una lección de vida que nos ayuda a ser seres humanos más completos. La persona que nos dañó pasa solamente a ser un vehículo de autoexploración y crecimiento.

La vida en sí misma es un maestro si nos detenemos a escucharla, y sin duda, no hay maestra más amorosa que la naturaleza misma. Observando, oliendo, escuchando, sintiéndola, aprendemos más de nosotros mismos que leyendo cualquier tratado de la personalidad humana, incluyendo este libro. No habría necesidad de reducir a palabras la experiencia, pues, desde mi punto de vista, es como intentar describir el sabor de un helado de limón. La experiencia es. Cualquier intento de describirla la limita. Aunque, al mismo tiempo, no hay otra forma de transmitirla si no es a través del contacto.

Veamos los puntos más importantes en este camino.

El enemigo a vencer: el ego

Hablo de vencer, no de destruir. Vencer es quitar el control; destruir es eliminar. El triunfo sobre el ego es no permitirle que rija nuestra vida, sino utilizarlo como vehículo para que la esencia se manifieste en el ámbito humano.

Para estar alertas y atentos a cualquier manifestación del ego, necesitamos conocer nuestros puntos frágiles; conocer nuestro estilo y reconocer nuestras estrategias. Recordemos que el ego no es una parte mala que nos hace daño, sino una parte totalmente asustada que no está capacitada para estar en control, porque todas sus decisiones serán tomadas desde el miedo. De esta manera, cada vez que aparezca, podemos ser infinitamente más amorosos con nosotros mismos y dejar de resistirnos. Resistencia genera persistencia, y cada vez que intentamos resistirnos al ego, le damos más fuerza. No hay que tenerle miedo ni enojo, ni avergonzarnos de él. Es una parte nuestra que siempre estará ahí, así que es mejor reconocerlo, reconciliarnos con él y caminar juntos.

El camino a seguir: la conciencia

Estar en contacto conmigo es darme cuenta de cómo me estoy sintiendo aquí y ahora; cómo está mi vida en este momento y qué le hace falta; qué me dice mi historia y cuáles son los aprendizajes que me deja cada día.

La conciencia es un ejercicio de voluntad también: estar en contacto con el presente implica un esfuerzo, porque nuestra mente está muy acostumbrada a danzar entre pasado, presente y futuro. Es una bailarina profesional que no deja de moverse. Necesitamos enseñarle a estarse quieta y demostrarle que estar en el presente no es tan riesgoso como parece. El presente es un lugar seguro, por difícil o doloroso que pueda ser en determinados momentos, y estar consciente de ello es ya un gran paso.

LA HERRAMIENTA PARA CAMINAR: LA HUMILDAD

Humildad significa saber que soy un ser falible; que los errores y las fallas son parte de mi naturaleza y que eso no me convierte ni en mejor ni en peor persona. Es reconocer mis limitaciones y no sentirme avergonzada de ellas, y también reconocer mis virtudes y poder agradecerlas sin sentirme superior a los demás como ser humano.

La humildad me permite valorarme más porque me ayuda a ser más real. El reconocer tanto mis cualidades como mis limitaciones me permite hacerlo con los demás. Entonces descubro que no hay cosas buenas ni malas: simplemente son como son.

LA ESTRATEGIA: LA VOLUNTAD

Hacer un cambio no es fácil. Todos tenemos la intención; lo que falla es la voluntad. La voluntad se desarrolla con la templanza, que es la capacidad de decir "No" a aquellas cosas que, aun siendo sumamente atractivas por diversas razones, sabemos que tarde o temprano nos harán daño. Tenemos que elegir entre el disfrute del placer momentáneo o el daño que podemos sufrir a largo plazo.

La mayoría de las veces nos vamos por el camino fácil, pensando: "Poquito veneno no mata". No mata, pero intoxica.

La templanza es un trabajo cotidiano, porque las tentaciones están allá afuera. Las tentaciones no son malas. Son un regalo, una bendición, porque si no existieran, no podríamos desarrollar la templanza. Es muy fácil ser virgen para una mujer que no ve a ningún hombre. ¿En dónde está la virtud? La virtud surge de la elección de renunciar a algo que es tentador en un ámbito de libertad por anteponer los valores espirituales, no religiosos. Si lo que nos dice la religión coincide con lo que elegimos desde la libertad, qué bueno. Si anteponemos un concepto rígido de religión, no estamos eligiendo libremente y lo que en otro contexto sería virtud, visto desde aquí simplemente es represión.

No podemos hablar de ninguna virtud si no hay una tentación enfrente, si no hay un reto a vencer. En este sentido, las tentaciones son la oportunidad que me pone la vida y el Gran Espíritu para mostrarme quién soy y de qué estoy hecha; para descubrir en qué áreas necesito trabajar y qué parte de mi territorio sagrado (pentagrama) necesito cuidar.

Si un alcohólico no está lo suficientemente fortalecido, no puede sentarse en un bar. Probablemente llegará un momento en que será capaz de hacerlo, pero para reconocer su incapacidad y cuidarse, necesita tener humildad. Dejamos de cuidarnos por ignorancia y por ego. Por ignorancia porque no sabemos cómo ni qué cuidar, y por ego porque pensamos que podemos controlarlo todo y que nada se saldrá de nuestras manos. Es una forma tonta de jugar a ser dioses, cuando ni siquiera somos capaces de rescatar la belleza de nuestro ser y de nuestro hacer humano, falible y cotidiano.

Ha habido una interpretación errónea de lo que implica ser un guerrero y que ha provocado que muchos se pierdan en juegos de poder y de ego.

Muchas tradiciones o disciplinas promueven la represión de los impulsos e instintos mediante técnicas y estrategias. A mayor lucha interna, el "guerrero" siente que ha librado una batalla más grande y se considera "ganador", lo que engrandece su ego y, por ende, su personaje. Toma la fuerza desde una "templanza" forzada y forzosa que lo aleja del amor y del contacto real con los demás, porque empieza a verse a sí mismo como diferente. Surge entonces el deseo de conquista inevitable en los "ganadores": desde la conquista del poder a través de puestos políticos hasta la conquista de miembros del sexo opuesto, que caen rendidos ante la admiración y, en ocasiones, ante la adoración de un personaje que se va alejando cada vez más de su esencia amorosa.

Yo creo en la reconciliación con nuestros instintos, pulsiones y sentimientos; en la elección desde la libertad, no desde la imposición de esquemas rígidos que lo único que hacen es determinar, condicionar y limitar el ser y el hacer a formas específicas.

He tenido la oportunidad de participar y ser testigo de estos dos estilos y me he podido dar cuenta de que entre aquellos que promueven la represión existe más lucha de poder y más ego. Los líderes son más admirados y temidos que amados y respetados y se da una relación totalmente vertical con ellos. Por el contrario, en los caminos que promueven la elección desde una libertad interna, si bien existe el respeto a las formas, predomina el respeto a la individualidad y la relación con quienes están al frente es una relación horizontal, amorosa y cálida en la que la lucha de poder no es necesaria, porque cada uno ocupa un lugar que nadie más puede ocupar. De este tipo de guerreros hablo yo. Son guerreros que se enfrentan a sí mismos día con día; que están alertas de sus virtudes para no envanecerse de ellas y de sus limitaciones para cuidarse; que son conscientes de su fragilidad y áreas débiles y de las trampas que ha diseñado su personaje.

Hablo de los guerreros que creen que la vida vale la pena vivirse, pero vivirse en libertad; que aman la naturaleza tal como aman a sus hijos y que cuidan su cuerpo con el mismo amor con que agradecen un atardecer que pinta el cielo de colores indescriptibles. Hablo de los guerreros de carne y hueso que pueden reírse de un chiste tonto y disfrutar de una copa de vino sin sentirse culpables; que lo mismo son capaces de dormir en la montaña para enfrentar sus fantasmas que disfrutar de la cama más mullida y suave, sin miedo a quedar atrapados en la comodidad o en el confort.

Hablo de los guerreros que se ven a sí mismos como la responsabilidad más grande sobre la tierra; de aquellos que aprenden a posponerse pero no se olvidan de sí mismos; de aquellos que luchan por lo que piensan pero no se inmolan por un ideal, porque saben que el fanatismo es una trampa más del ego. Hablo de aquellos que saben decir "No" y también pedir un favor o un abrazo; de aquellos que no se encuentran atrapados por un pedestal o un puesto, sino que aceptan estar al frente como parte de su misión de vida igual que si les hubiera tocado estar al final de la fila.

Hablo de aquellos guerreros que pasan desapercibidos porque saben que ponerse en evidencia, en muchas ocasiones, es caer en el juego del personaje. Hablo de aquellos que disfrutan un helado igual que disfrutan un ritual; que se entregan a la vida con la misma intensidad con que se entregan a su pareja en el momento de hacer el amor; que viven su sexualidad como una celebración de la vida y como una manera de agradecer al Gran Espíritu el regalo de haber encontrado a su compañero o compañera. Los guerreros viven la pasión en su cuerpo del mismo modo que la viven en su alma y se olvidan de teorías, teoremas, formas y esquemas que los alejen de la vida, de su aquí y de su ahora. Son aquellos que han descubierto que ser libres no sólo les corresponde por derecho, sino que es el único camino que los funde con el Gran Espíritu, porque solamente en la libertad podemos encontrar el AMOR.

Por lo tanto, el camino del guerrero es un camino de liberación; de ruptura de esquemas y de autoconfrontación constante dada en un clima de amor, tolerancia y benevolencia, no dentro de un parámetro rígido de autoexigencia y represión.

La meta: el servicio

El servicio es la manifestación más pura del AMOR, porque si estamos en este mundo, aquí y ahora, nuestra existencia tiene un sentido y un para qué. No venimos solamente a disfrutar o a sufrir: venimos a aprender y a servir. Se nos necesita para algo en especial, algo que nadie más que yo puede hacer, desde algo tan sencillo como sonreír a alguien hasta tener una presencia predominante en la sociedad.

El servicio que no se hace desde el amor es inútil, porque lo único que haremos es tratar de manipular a los demás y pasarles las facturas de nuestro "servicio" tarde o temprano: "Yo, que hice esto por ti, y mira ahora con lo que me sales".

El servicio, pues, es la manera que tenemos de agradecerle al Gran Espíritu –o como sea que le llamemos– el regalo de la vida, la oportunidad de estar aquí y ahora, de ser testigos y partícipes de la historia y ser hoy mejores que ayer.

Es la forma de enseñarles a nuestros niños que el amor existe más allá de las guerras y lo competitivo de este mundo, que cualquier ser humano es valioso por el simple hecho de existir y que el respeto a la naturaleza es un modo de honrarnos a nosotros mismos.

El servicio nos enseña a amar más y mejor; nos templa y ayuda a crecer en la tolerancia, la prudencia y la compasión. No hay guerrero más poderoso que aquel que acepta dar un servicio con amor y por amor, aunque implique un sacrificio personal. Él no busca el beneficio propio, aun sabiendo que es inherente a la dádiva, pues mientras más damos, mejores personas nos volvemos. Cuando hablo de dar, no me refiero a cosas materiales, sino a la energía, al tiempo, al esfuerzo y al compromiso puestos en determinada meta.

De esta manera, el camino del guerrero se convierte en una historia de amor entre el guerrero y el universo. Una historia de amor que, como todas, está llena de dolor, lágrimas, renuncias y, al mismo tiempo, esperanza, alegría y plenitud, en donde la certeza es lo que da sentido y la fe es lo que da la fuerza. Una historia de amor en donde la voluntad y la firmeza se enfrentan a la comodidad y la mediocridad. Una historia de amor en donde la eternidad y el presente se dan la mano para seguir demostrando a través de los milagros cotidianos que la Divinidad está presente en cada tramo de este camino y nos envuelve amorosamente, acompañando nuestros pasos, susurrando a nuestro oído y hablándole a nuestra alma de muchas formas. La próxima vez que veas un atardecer, detente y escucha... Jamás volverás a sentirte solo y jamás serás tan invencible como en esa fracción de segundo en la que desaparece el límite entre los colores del cielo y tú. Toma una respiración profunda, inhala el universo, recíbelo en ti y sonríe... Has vuelto a casa.

De dónde vengo

Desde que era una niña recuerdo haber sido diferente. Esto no implicaba ser mejor o peor; simplemente diferente. Mi madre cuenta de que empecé a hablar y a caminar a los 9 meses y que de manera inesperada comencé a leer. Nunca estudié el primer grado. Entré directamente al segundo y entonces descubrí lo diferente que era de las demás niñas.

Conservo en mi memoria imágenes de cuando era bebé y mi papá me ponía sobre su torso mientras me cantaba recostado en una hamaca tejida de muchos colores colgada en el patio de la casa. No hay fotos. Simplemente es una imagen que se quedó conmigo y que llevo en mi memoria, así como muchas otras.

Desde muy pequeña empecé a tener sueños premonitorios que no entendí hasta que me inicié en el Camino de la Sabiduría. Los sueños me asustaban y recuerdo estar hincada al lado de mi cama rezando a mi angelito de la guarda para no soñar que algo les pasaba a mis padres o a mi hermano. De algún modo, sentía que yo tenía algo que ver con eso. Después entendí que los seres humanos somos radares, algunos más sensibles que otros a los cambios energéticos del universo.

Siendo una niña con tan elevada sensibilidad, mi vida no era tan fácil, pues percibía muchas cosas que no entendía. Me angustiaba, me enojaba, me sentía impotente, y mi única salida era escribir. Comencé a escribir poesía sólo para mí. Solía pasar mucho tiempo en mi habitación escribiendo en una hoja de papel, como ahora. Es una ironía, pues nunca pensé compartir esto con nadie.

Los recuerdos de mi primera infancia son muy bellos. Vivíamos en un pueblo pequeño cercano a los ranchos de mi padre, un agricultor y ganadero importante de la costa; hombre alegre, festivo, cantante, con una energía imparable y un carácter difícil de comprender para la mayoría, pero no para mí.

Recuerdo la presencia constante y amorosa de mi madre, siempre pendiente de nuestras necesidades; una mujer hermosa e inteligente proveniente de una familia acomodada de la ciudad, intentando adaptarse lo mejor posible a las "incomodidades" del campo.

Únicamente fuimos dos hijos. Mi hermano (año y medio menor que yo) fue mi compañero de juegos hasta que nos mudamos a la ciudad. Lo recuerdo como un niño dulce, siempre sonriendo, y con un carácter infinitamente más apacible que el mío. Recuerdo aquel corredor inmenso lleno de juguetes y mascotas vivas corriendo entre las palmas de coco y los limonares que teníamos en el patio de la casa. Había gallinas, pollos, patos, venados, perros y un hermoso caballo negro llamado Azabache.

Mientras mi madre se esforzaba por hacerme entrar en el rol "adecuado" para una niña con tules y vestidos color rosa, mi padre se encargaba de enseñarme a montar a caballo, a ordeñar una vaca, nadar en el río y tirarme clavados en el mar. Obviamente, todo esto era más divertido que jugar a las muñecas y a la "comidita". Así, ante la preocupación de mi madre y la mirada complaciente de mi padre, me convertí en una niña inquieta, llena de preguntas y un deseo enorme de disfrutar y explorar la vida –deseo que parece inextinguible hasta hoy día.

El cambio a la ciudad marcó otra etapa totalmente diferente de mi vida y, de alguna manera, lo sentí como una mutilación a mi libertad. Cambié el patio de mi casa, lleno de limonares, palmas y aguacatales, por un patio de cemento en una escuela de monjas donde me obligaban a usar uniforme azul marino y a comportarme como una "señorita". Ésa era la última esperanza de mi madre, quien finalmente regresaba a su territorio después de diez años de estar en el rancho.

La separación de mi padre fue sumamente dolorosa, lo mismo que el ajuste a mi nueva vida. El proceso de adaptación a las demás niñas tampoco fue fácil, pues descubrí enormes diferencias entre ellas y yo. No me sentía parte del entorno, porque no tenía nada que ver conmigo, y aunque era líder por naturaleza, mis amistades fueron pocas. En muchas ocasiones prefería sentarme a platicar con una de las religiosas, una monja ya entrada en años que, a través de sus ojos azules, me contaba de su pueblo y sus montañas y me sacaba por instantes de aquel patio de cemento.

En esta etapa experimenté un profundo sentimiento de soledad e inadecuación, pues mientras más sobresalía en la escuela debido a mis calificaciones y a mi facilidad para escribir y llevar a cabo eventos, más me rechazaban mis compañeras, quienes, recelosas por la preferencia de algunas maestras, no eran la mejor compañía. Disfrutaba enormemente estar en mi cuarto, oír música de la radio, escribir y leer. La lectura me apasionaba y me llevaba a vivir en un mundo maravilloso, pues mientras los demás niños de mi edad leían historias y cuentos, yo leía mitología griega y libros de psicología. De esta manera transcurrió mi infancia.

De más está decir que el encuentro con un Dios castigador y enojón fue impactante porque, mientras mi madre nos había enseñado a rezarle al Ángel de la Guarda y al Niño Jesús, una monja me dijo que si no rezaba el rosario antes de dormir y me moría en el sueño, me iba al infierno. Entonces decidí que esa religión no me gustaba y se abrió una brecha inmensa en mi fe y mis creencias –brecha que desapareció cuando descubrí la verdadera espiritualidad y regresé a mis raíces.

No recuerdo cuándo fue la primera vez que tuve contacto con un curandero. En aquel tiempo era tan común verlos en el mercado, ir a una lectura de cartas o recibir una limpia, que todo se fue dando de un modo gradual e imperceptible. En la región de México donde vivía, el pensamiento mágico estaba entretejido en las costumbres, en los olores y sabores de la tierra, los cuales disfrutaba enormemente, al igual que hoy.

El paso a la secundaria y la entrada a la adolescencia marcaron mi vida de otra manera. Después de mucho luchar, logré que me cambiaran de escuela a un colegio mixto en el que pasé unos años maravillosos. Hoy, con el paso del tiempo, entiendo a todos los que hablan de sus "años dorados": así fueron los míos. En un ambiente más libre y permisivo, conjugué estudio con disfrute y recuerdo esa etapa llena de alegría, serenatas, flores, amigos, amigas y baile, a la par de reconocimientos por mis buenas calificaciones. Aprendí a tocar guitarra y, al entrar en la etapa de la conquista, me reconcilié con mi parte femenina y disfruté de los halagos y los pretendientes. Me enamoré por primera vez y descubrí el sabor amargo de las lágrimas. ¡Qué cosa más hermosa!

La mudanza a una ciudad más grande para estudiar mi licenciatura en Psicología fue otra experiencia, pues era la primera vez que salía sola de casa. Lo disfruté tanto que no hubo un solo momento en que quisiera regresar. Con la Psicología descubrí un mundo inimaginable y me quedé para siempre atrapada en el misterio de la mente humana y del ser total. Estaba maravillada con el universo que se presentaba ante mí. En ese momento llegó a mi vida la Gestalt y, con ella, un sentido nuevo para conectarme con los otros y conmigo misma. Me sentí en casa, con gente verdaderamente interesada en los contactos de calidad.

Aún recuerdo la primera plática con Martha Preciado, una de las terapeutas más amorosas y agudas que he conocido en todos estos años. Sus ojos reflejaban no sólo la gentileza propia de una mujer con su sensibilidad, sino el amor verdadero al ser que estaba frente a ella, más allá de juicios y etiquetas. Su abrazo se quedó marcado en mí como la bienvenida a ese nuevo mundo y siempre seguirá en mi corazón, dondequiera que su espíritu se encuentre. Supe que había hallado lo que andaba buscando y que ésa era la forma en que yo me quería relacionar con mis pacientes, con la gente y conmigo misma.

Comencé a explorar muchos caminos de conocimiento. Se empezaron a hacer más frecuentes los encuentros "circunstanciales" con personas de sabiduría y, finalmente, después de una experiencia mística y mágica que viví en El Cairo, Egipto, y a la que necesitaba encontrarle explicación, llegó a mi vida la persona que me inició en el conocimiento de los Registros Akáshicos. Éstos son el registro de cada una de nuestras vidas, con los aprendizajes y las cosas pendientes por aprender y cerrar, a éstos se puede acceder mediante un ritual basado en el conocimiento Atlante.

Mi vida dio un giro completo y todo lo vivido cobró sentido. Por primera vez tuve respuestas absolutas a mis cuestionamientos existenciales a los que nadie había podido responder satisfactoriamente y comprendí plenamente el para qué de cada una de mis habilidades y limitaciones, de los encuentros y relaciones. Entendí lo que significaba "destino" y "libre albedrío". Comprendí la diferencia entre aceptar y resignarse, y me sentí más clara que nunca en mi camino.

Conocí a mi segundo maestro, un hombre maravilloso de una sabiduría profunda y humildad aún más grande. Quizá la mayor lección que recibí de él fue el valor de la sencillez y la claridad de conocimientos de la tradición indígena que me abrió las puertas al universo ritual, sagrado y simbólico del camino tolteca. Fue un reencuentro con mis raíces, con mi tierra, con la herencia de los abuelos, de aquellos indígenas que veía en la calle caminar sin zapatos y soportar gestos de rechazo en lugares públicos.

Redescubrí la historia de mi México amado, aquella que no contaron los conquistadores, aquella que ha permanecido escondida en una danza, en un códice o en un ritual y que no se aprende en la escuela. Entré a un mundo guerrero-sagrado que le aportó a mi vida la espiritualidad que me habían robado aquellas monjas. Pude sentir a un Dios amoroso, más allá de credos y religiones; el Gran Espíritu que lo es todo y está en todo, que se encuentra en el alma de cada ser vivo y que late al ritmo del universo.

Entonces volvieron a unirse el cielo y la tierra, lo divino y lo humano, como en aquellas tardes en el rancho en que el sol naranja pintaba las nubes y el cielo se convertía en una sinfonía de colores indescriptibles que me hacía sentir parte del milagro de la vida. Me sentí más libre, más segura de caminar por la vida, más amada y profundamente más agradecida. El haber recuperado el contacto consciente con mi espiritualidad me llenó de una fortaleza pacífica difícil de describir, porque comprendí que todo lo que ocurría se daba por amor. Creció notablemente mi respeto a la vida, a las circunstancias, a mí misma y a cada ser del planeta.

Me convertí en guerrera y acepté misiones de vida una vez que pude comprender su significado. No importaba que para los demás no tuvieran sentido: *yo* sabía el para qué, aunque en ocasiones tuviera que esforzarme para encontrar el cómo.

Descubrí y comprendí lo que implica ser un guerrero, y no un pendenciero, y entonces tuve contacto con el conocimiento de los Guerreros Águila y Jaguar: guerreros sagrados en el antiguo México, cuya función y misión iban más allá de la pelea física. Cada uno estaba dotado y entrenado para desarrollar las características propias de su rango. La batalla más grande que debían librar para convertirse en guerreros sagrados era la lucha con su ego.

Un guerrero con ego es un guerrero con miedo a perder su imagen y cualquier batalla que libre girará alrededor de la preservación de ésta y no de la consecución del fin último, que es el ofrecer la vida al servicio de la voluntad divina, es decir, llevar a cabo aquello que se nos ha encomendado, más allá de los deseos y antojos personales y de necesidades creadas.

Fue entonces cuando relacioné esas enseñanzas con el sufrimiento de mis pacientes: indudablemente el ego tenía un papel fundamental y decidí explorar ese camino. Descubrí que parte de mi misión, no sólo como psicoterapeuta gestalt sino como guerrera, era utilizar mis herramientas para hacer llegar este conocimiento a la gente y que, más allá de rituales, tradiciones o cuestiones religiosas, pudiera encontrar una alternativa para su crecimiento y autoexploración.

Esto cobró más sentido cuando en un viaje a Brasil –donde fui invitada a presentar mi propuesta sobre el ego por primera vez en un congreso de Gestalt– encontré a mi tercer maestro, con quien después me inicié en el camino Lakota en Uruguay. Allí libré, de una manera ritual y sagrada, la batalla más grande con mi ego y mis propios miedos. Necesitaba vivir esa experiencia guerrera para renacer más fuerte, más clara, más agradecida y más humilde; para comprender que el camino nunca termina, siempre hay algo nuevo que aprender y un reto cada vez más fuerte y grande delante de nosotros, porque es el único modo en que probamos nuestra fuerza.

La llegada de mi cuarto maestro fue tiempo después y, al igual que las demás, totalmente inesperada. Escuché su ponencia, la vibración de su voz y la claridad de sus conceptos y supe que iba a recibir algo importante a través suyo: me abrió las puertas al conocimiento Atlante y entonces se cerró el círculo –al menos éste.

El cuatro es un número sagrado. Cuatro son las estaciones del año y los puntos cardinales. El cuatro es el número de mi misión externa en esta vida, y la llegada de mi cuarto maestro fue, sin duda, un cierre mágico y maravilloso de una cadena –o quizá sólo de un eslabón– de búsqueda y conocimiento.

Entonces cobró más sentido escribir y publicar este libro, porque aunque he estado impartiendo el taller “El Camino del Guerrero” desde hace algunos años, nunca me había tomado el tiempo para escribir este conocimiento. Hasta que llegó el momento y aquí está. No he escrito este libro para psicólogos solamente: lo he hecho pensando en toda la gente que se desanima ante un libro de psicología por no considerarse a sí misma capaz de manejar los términos. En cada una de mis conferencias, talleres y presentaciones, he tratado y trato de utilizar un lenguaje claro y cotidiano que nos permita conectarnos de una manera sencilla. De cualquier modo, si algo no te queda claro, puedes escribirme a mi correo: pilar_ocampo@yahoo.com, y con gusto trataré de resolver tu duda.

Bibliografía

Coelho, Paulo. *Manual del guerrero de la luz*. México: Editorial Grijalbo, 2005.

Chopra, Deepak. *Sincrodestino*. México: Editorial Alamah, 2004.

Dodd, Ray. *The Power of Belief*. Canadá: Hampton Roads Publishing Company, Inc., 2003.

Ginger, Serge. *La gestalt: una terapia de contacto*. México: El Manual Moderno, 1996.

Jampolsky, Gerald. *Sin miedo al amor*. México: Editorial Selector, 1997.

Jampolsky, Gerald y Diane Cirincione. *Amar Es la Respuesta*. Barcelona: Editorial Paidós Ibérica, 1998.

Meza Gutiérrez, Arturo. *Mosaico de turquesas*. México: edición del autor, 1999.

Osho. *El libro de la nada*. España: Gaia Ediciones, 1999.

_____ *El libro del ego*. España: Editorial Grijalbo, 2004.

Ruiz, Miguel. *La maestría del amor*. Barcelona: Editorial Urano, 2001.

_____ *La voz del conocimiento*. Barcelona: Ediciones Urano, 2004.

_____ *Los cuatro acuerdos*. Barcelona: Editorial Urano, 1999.

Spangenberg, Alejandro. *Gestalt, Mitos y Trascendencia*. Uruguay: Editorial Arena, 1999.

______ *Gestalt, zen y la inversión de la caída*. Uruguay: Editorial Psicolibros-Narciso, 2004.

Wheeler, Gordon. *Vergüenza y soledad*. Chile: Editorial Cuatro Vientos, 2005.

[illegible] *[illegible] de México* [illegible]
[illegible]

[illegible]

[illegible]

[illegible]

[illegible]

[illegible] Barce-
lona, [illegible], 1998.

[illegible] México, [illegible] del
[illegible], 1995.

[illegible], *El libro de [illegible]*, [illegible] Ediciones, 1997.

———, *[illegible]*, [illegible], 2004.

R[illegible], M[illegible], *[illegible]*, Barcelona, Editorial [illegible],
2001.

———, [illegible], 2011.

———, [illegible], 1993.

[illegible]
[illegible]

———, [illegible]
[illegible]

[illegible], [illegible] Teatro [illegible]
[illegible], 2003.

Esta obra se terminó de imprimir
en julio de 2011, en los Talleres de

IREMA, S.A. de C.V.
Oculistas No. 43, Col. Sifón
09400, Iztapalapa, D.F.

